Collection **marabout service**

To Terri
Come up and
say hello to me at
this years US open

Du même auteur :
Astrocard's et **Astrodice** (S.M.I.R., Tourcoing, 1980)

Connaissez-vous par votre typologie solaire
(Marabout Service n° 457)

Guides astrologiques des douze signes
(Marabout Service n° 460 à 471)

FRÉDÉRIC MAISONBLANCHE

Guide astrologique

BALANCE

23 septembre - 22 octobre

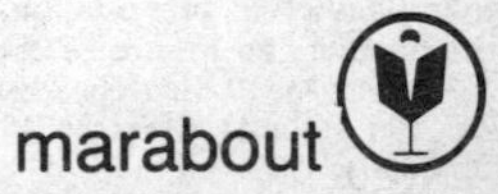

Les collections **marabout** sont éditées par la S.A. Les Nouvelles Éditions Marabout, 65, rue de Limbourg, B-4800 Verviers (Belgique). — Le label **marabout**, les titres des collections et la présentation des volumes sont déposés conformément à la loi. — Distributeurs en **France** : HACHETTE s.a., Avenue Gutenberg. Z.A. de Coignières-Maurepas, 78310 Maurepas, B.P. 154 — pour le **Canada** et les **États-Unis** : A.D.P. Inc. 955, rue Amherst, Montréal 132, P.Q. Canada — en **Suisse** : Office du Livre, 101, route de Villars, 1701 Fribourg.

Sommaire

Les personnages Balance : Monsieur Statu Quo et Madame Balancelle

Monsieur Statu Quo

STATU QUO vit en milieu protégé. Au fil des années, il s'est concilié, affiné et combiné des ambiances de vie immunisées d'excessifs bouillons de passion et d'inopportuns agents perturbateurs. Mais ce faisant, il a perdu l'habitude de réagir devant les problèmes et autres incidents de parcours que la vie quotidienne propose, se contentant de laisser faire les événements dans la mesure où ils ne bousculent pas ses plans d'équilibre et son esthétique de vie. Il ne s'agit nullement d'indolence ou de béatitude naïve mais d'une élégante défense passive commandée par des tendances à ne pas fréquenter les extrémités des idées et des sentiments, là où sont rencontrées toutes sortes de sources de désordre insoutenable pour ses exigences du juste milieu.

Ses temps de réaction sont lents ; ils sont à l'image de la noble démarche de la déesse Justice, dont il est le symbole, qui semble parfois avancer à reculons tant elle est réfléchie, prudente et curieuse de s'intéresser aux chemins de traverse dans lesquels se perdent les premiers ressorts, les appels et autres ultimes recours, qui ne sont en réalité que des moyens d'analyser le pour et le contre, les pôles, les confins et les versants de toutes les propositions.

STATU QUO raisonne sainement, sobrement mais longuement ; les décisions hâtives ne sont pas pour lui et il préfère refuser quelques plaisirs — et pourtant les dieux de l'Astrologie savent combien il est épicurien et jouisseur de toutes douceurs — s'il ne lui est pas accordé un temps mort pendant lequel il décomposera les avantages et les désavantages de ses enthousiasmes et de ses spontanéités.

Il devient ainsi vertueux à force d'être mitoyen. Le danger est qu'il peut également se momifier jusqu'à être ennuyeux et décevant en s'obstinant à vouloir purifier ses états d'âme, d'esprit et de cœur de tout ce qui n'est pas étalonné par son sens de la mesure, du juste et du pondéré.

On aimerait trouver chez lui quelque amadou de passion, un zeste de révolte, une bribe de fougue afin que des décisions soient prises sur-le-champ, sans tergiversations d'aucune sorte et que les sentiments soient avoués sans jambages-majuscules de courtoisie et de modération bien élevées.

STATU QUO est un ami reposant, conciliant, souple et affectueux, ce qui ne l'empêche nullement de se protéger intégralement de toutes atteintes extérieures, lorsqu'il lui semble que son rythme de vie paisible, tel qu'il se l'est organisé, peut être menacé. Des attitudes égoïstes apparaissent alors qui surprennent tant elles sont en contradiction avec sa chaleur coutumière et son affectivité désintéressée.

Il est élégant sans excès mais avec goût, coquet sans ostentation mais avec poésie et séducteur naturellement ; on le sait sans brusquerie aucune, attentif à ordonnancer le vernis de ses tendresses à ceux qui les souhaitent. Il rayonne d'une sensibilité palpable et d'une quintessence de sensualité romantique comme peut le suggérer un tableau de Watteau ; soit un élégant dosage de nuances de toutes sortes : de la tendresse à fleur de cœur, du charme à fleur des mots, des « peut-être » oscillants qui voudraient bien devenir des « définitifs » et une sorte d'aura faite d'incertitudes raffinées. Mais tous ces charmes avouent que ce sont trop souvent des inquiétudes indéfinissables qui motivent les justes milieux qui ne sont en fait que des limitations de vie.

STATU QUO a des difficultés à se séparer de ses habitudes. Soucieux de garder son calme, il assume souvent des circonstances de vie pénibles et souffreteuses qui ne lui conviennent pas mais qu'il supporte, considérant que ce qui est vaut mieux que ce qui est possible et que ce qui est acquis s'équilibre avec ce qui ne l'est pas encore. Ces comportements sont parfois considérés comme de la fidélité et du courage alors qu'il ne s'agit que d'impossibilités de conclure.

Et c'est ainsi que STATU QUO *s'est aménagé une vie qu'il voudrait luxuriante mais qui n'est qu'aisée, qu'il souhaite s'enivrer de sentiments idylliques alors qu'il se contente d'affections tièdes comme des tisanes et qu'il espère que demain lui permettra de prendre les décisions qu'il empile comme des espérances, tout en subissant l'instant présent ; le tout, sur la pointe des pieds car le bruit le traumatise, sans élever le ton car son émotivité ne le supporte pas et sans être trop précis car la rigueur des déterminations lui donne des palpitations !*

Madame Balancelle

A l'ombre de ses espérances, dans le tiède de ses tendresses et dans le moelleux de ses hésitations, BALANCELLE *vit souvent comme si elle était en instance d'exister.*

Elle a le charme, que certains trouveront suranné, des cartes postales d'antan, attendrissantes de bouquets aux teintes automnales, de duos aux regards câlins et de jeunes femmes dont le corps aux formes onctueuses invite aux caresses. Le visage de ces dames du temps jadis suggérait une disponibilité sentimentale tellement idéale, émouvante et symboliquement féminine voire maternelle, que les cœurs fondaient en regardant les images.

Ainsi peut être BALANCELLE *tant elle est confortable à regarder, gracieuse à aimer et reposante à vivre. Mais sous les taffetas et le vaporeux, les pattes de velours peuvent se faire griffeuses et l'angélique glisser vers le têtu. Dans ses recherches d'harmonie en toute chose et dans ses souhaits d'équilibrer ses attitudes en des justes milieux,* BALANCELLE *peut devenir trop conciliante. Avec son diapason en moderato, elle oscillera entre deux attitudes ou entre deux décisions à un rythme intermédiaire entre vivre en allegro et survivre en andante.*

BALANCELLE *donne peu de prise aux agressions à mots armés et aux méchancetés de tout acabit dont la vie est par trop généreuse. Toutes les vilenies semblent glisser sur le poli de ses qualités vénusiennes comme le font ses doigts sur les peaux qu'elle aime caresser : sans laisser de trace. Non qu'elle ne les subit pas, mais elle les tempère.*

Ne voulant faire souffrir quiconque et pour quelque cause que ce soit, BALANCELLE *obtient parfois des résultats inverses ; en effet, à vivre dans l'extrême modération et dans le lénifiant à tout propos, des insatisfactions sont à craindre. Il y a des limites à ne pas dépasser dans le vague, l'indéfini et l'indéterminé ; or* BALANCELLE *a tendance, par excès de sentimentalité et par goût des moyens termes, à faire abstinence de décision, à ménager la « chèvre et le chou » et à être ainsi inefficace par péché de pieuses omissions.*

Il est vrai que dans la connaissance de ses perplexités, elle souffre deux fois : une fois pour elle car elle n'est nullement satisfaite de ne pouvoir faire acte de choix, et une fois pour celui ou celle qu'elle chagrine et qu'elle effraye de ses hésitations.

Rien n'est jamais définitif pour BALANCELLE *; il semble qu'elle possède d'infinies variétés de qualités affectives et effectueuses qui sont prêtes à s'épanouir et à être autant de moments de bonheur. Ce « provisoire » que l'on ressent, accentue d'ailleurs son charme ;* BALANCELLE *a l'art de créer des éphémères qui durent longtemps. Elle aime se dévouer pour de justes causes dans lesquelles le généreux, l'altruisme et le charitable sont les bons pasteurs de grandes et nobles idées. Elle n'est jamais aussi heureuse que lorsqu'elle peut vibrer à l'unisson d'une orchestration où les violons pleurent quelques effusions, où les tambourins rassemblent les cœurs en une même croisade et où les flûtes et les violes font danser tout le monde dans d'élégants pas-de-deux.*

Il est accordé à BALANCELLE*, par des providences astrologiques, de merveilleuses dispositions artistiques. En effet Vénus, planète aux qualités et aux faiblesses romantiques, experte à faire éclore toutes les harmonies et toutes les beautés, se trouve très bien « inspirée » par le souffle vivifiant et créateur de l'élément air.*

Ce duo joue de toutes les complicités pour combler BALANCELLE *de dons pour tout ce qui touche l'esthétique, les arts, la beauté, les élégances et l'amour. Les harmonies annoncées par les accords astrologiques invitent ainsi* BALANCELLE *à peindre sa vie en pastel, plus rose-tendre que rouge-*

passion, à s'inventer des ambitions qu'elle réalisera à coups de charme et à poétiser ses espérances en tous genres lorsqu'il lui sera impossible de sortir des préludes de ses embarras amoureux et de ses ondoiements sentimentaux.

Mais, et tout l'art de BALANCELLE *se trouve dans cette ambiguïté, tout en étant merveilleusement et délicatement pendulaire quant à ses états d'âme et de cœur, quand cela lui convient de l'être, elle est parfaitement capable d'arrêter comme par enchantement ses atermoiements et ses réticences à sortir du flou des alternatives, quand elle a jeté son dévolu sur tel sujet bien précis.*

Et peut-être Paul Verlaine a-t-il écrit ces deux vers pour une dame Balance : « Rien de plus cher que la chanson grise où l'indécis au précis se joint... », car ainsi est le charme de BALANCELLE *qui fait croire qu'elle est hésitante alors qu'elle est justement plus que précise !*

L'Astrologie : une clé universelle...

Les portes de la caverne d'Ali-Baba avaient besoin, pour s'ouvrir, d'une clé dont le nom symbolique est resté dans les mémoires enfantines : « Sésame ouvre-toi », et l'on accède aux trésors !

Les portes de l'âme humaine ont elles aussi besoin de mots de passe, de clés, pour s'entrouvrir et l'Astrologie possède l'art et la manière de ciseler et de proposer les *clés-symboles* qui permettront de découvrir les trésors enfouis dans le tréfonds d'une personnalité, et de pénétrer dans les couches infiniment riches de l'inconsient.

C'est pour cela que le mot *clé* apparaîtra souvent dans ce guide astrologique consacré au signe de la Balance.

Mais il y a d'autres définitions de l'Astrologie.

• **Pour le dictionnaire :** « l'art de déterminer le caractère d'une personne et de prévoir son destin par l'étude des Astres ».

• **Pour le poète,** une évidence universelle : « le monde est fait avec des Astres et des hommes ».

• **Pour tout le monde,** le moyen un peu magique, un peu amusant mais toujours excitant d'approcher la connaissance de soi et des autres.

• **Pour certains,** enfin, un intermédiaire entre le visible et l'invisible, entre le cosmique avec ses forces souvent inconnues, ses phénomènes et ses influences mal expliquées, et le terrestre, soit l'homme enraciné sur la planète *Terre*, et qui est un fragment de la vie totale de l'univers.

Naissance de l'Astrologie

Avant l'Astrologie, il y avait déjà le ciel avec le Soleil, la Lune et les étoiles. Il y avait aussi les éclairs, la pluie, le vent, les orages.

Le ciel était le maître du monde et l'homme d'alors ne craignait qu'une chose : qu'il lui tombe sur la tête. Puis des explications au rythme mystérieux des « choses d'en haut » furent recherchées. Les Babyloniens furent les premiers observateurs du ciel dont les remarques furent conservées, puis les Chaldéens, mathématiciens et ingénieux, mirent au point un système cosmologique. L'Astrologie était née.

Elle servait à prévoir les guerres, les cataclysmes, les déroulements des affaires publiques. L'Astrologie était à l'usage des Grands du monde de l'époque, elle était d'essence royale.

Vers l'an 2000 avant J.C. furent construits les alignements de *Stonehenge*, première horloge astrologique, puis furent bâties les pyramides d'Egypte, tombeaux-observatoires contenant, outre quelques momies, des enseignements astronomiques.

Des écoles d'Astrologie apparurent en Grèce et à Rome. Un sens rationnel fut donné aux jeux des planètes, des maisons et des signes par *Claude Ptolémée* qui écrivit probablement le premier manuel d'Astrologie : le *Tetrabiblos*.

Lorsque l'Empire Romain s'effondra, l'Astrologie, faute d'hommes de science et d'intuitifs sérieux, tomba entre les mains de charlatans et une astrologie de salon auréolée de superstitions et de fétichisme naquit.

L'Eglise chrétienne brûla cette Astrologie qui sentait un peu trop le soufre : Saint Augustin, notamment qui pourtant s'était intéressé pendant sa jeunesse à l'art astrologique, la condamna avec passion, prétendant que les Maîtres devaient être inspirés par quelques démons.

L'Astrologie fut sauvée par les Arabes, race curieuse de tout, habile dans nombre de domaines. Une bibliothèque et un observatoire furent construits à Bagdad, où les mille et une nuits purent ainsi faire l'objet d'examens attentifs. Des méthodes furent inventées et l'Astrologie grandissant atteignit l'Europe.

Dès lors, l'Astrologie gagna des atouts de discipline et de méthode, elle devint respectable comme ces vieilles dames qui furent indignes parce qu'elles étaient incomprises. Même des théologiens parlèrent des influences cosmiques dans leurs prières.

Lorsque l'imprimerie apparut, les premiers calendriers astrologiques furent édités. La Renaissance apporta des initiatives originales mais à tendance occulte : numérologie, alchimie...

C'est *Copernic* qui déclencha la nouvelle vague des astrologues-savants. *Tycho Brahe* et *Kepler* prirent la relève et leurs œuvres apportèrent des éclairages nouveaux à base d'astronomie, au système de *Ptolemée*, qui ne put résister à des découvertes plus rationnelles qu'imaginatives.

Newton trouva des lois et fit progresser magistralement l'Astronomie. Celle-ci, devenant une science, obligea l'Astrologie qui avait été sa mère nourricière à se retirer dans quelques alcôves. Leurs voies étaient devenues par trop divergentes.

Et nous arrivons dans l'Ere du *Verseau*, qui accepte toutes les idées pourvu qu'elles soient originales et susceptibles d'expliquer l'inexplicable. C'est ainsi que l'étude des cycles et des horloges cosmiques n'est plus considérée comme travail de poète ou de mystique, mais bien comme une des plus intéressantes innovations de ces derniers temps. L'Astrologie gagne « en profondeur », ce que la logique lui enlève de superficiel.

Le décor astrologique

Toute science, surtout lorsqu'elle peut être critiquable par des excès de trouvailles, d'imaginations et d'inspirations originales, a besoin de méthodes ; les typologies ont pour but de donner des bases générales et des références collectives qui s'adressent à tout le monde et qui permettent de faire le portrait de chacun.

Ainsi la typologie astrologique a des repères : signe, maison, planète... qui sont universels pour tous mais qui servent de trame pour l'établissement d'un ciel de naissance singulier.

C'est l'observation du ciel de naissance d'un consultant qui est la clé d'une analyse astrologique. Que trouvons-nous dans le décor astrologique ?

Pour entrer dans des détails astronomiques, découvrons les paysages, les panoramas et les accessoires du théâtre astrologique :

— les douze signes du Zodiaque ;
— les dix planètes, dont le Soleil ;
— les douze maisons ;
— les aspects.

Les douze signes du Zodiaque

Le Zodiaque est un ruban circulaire comprenant les douze constellations qui ont donné leur nom aux Signes. Le Soleil parcourt cette bande céleste en un an, soit un degré par jour puisque cette ceinture a été divisée en 360 degrés. Les Astrologues ont divisé les 360 degrés en douze sections de 30 degrés chacune ; ce sont les douze signes astrologiques : Bélier, Taureau, Gémeaux, Cancer, Lion, Vierge, Balance, Scorpion, Sagittaire, Capricorne, Verseau, Poissons.

Les dix planètes

Tout tourne autour du Soleil. Cet astre est le dieu, le seigneur de l'espace cosmique : il se dirige vers l'étoile Véga en entraînant tout ce qui se trouve dans son territoire, dont les neuf planètes qui font traditionnellement partie du système solaire.

Or ces planètes ont elles-mêmes des satellites, la Lune pour la Terre par exemple.

Le système solaire est en fait un gigantesque carrousel en perpétuel mouvement et l'être humain, cramponné sur sa planète Terre, ne se rend pas compte qu'il file dans l'espace à la vitesse vertigineuse de trente kilomètres à la seconde en tournant autour du Soleil, qu'il tournoie sur lui-même en vingt-quatre heures et qu'en plus, entraîné par le Soleil dans sa translation vers Véga, il « fonce » dans le vide à la même vitesse que celle du Soleil.

Les douze maisons

L'alternance des jours et des nuits a donné aux Astrologues l'idée de découper la voûte céleste en douze divisions (soit : vingt-quatre heures/2) appelées maisons. La première part du point Ascendant (degré du Zodiaque qui se lève à l'horizon à l'instant de la naissance) et les onze autres se numérotent dans le sens contraire à celui des aiguilles d'une montre.

Comme la Terre tourne sur elle-même en vingt-quatre heures, cette pirouette permet à chaque astre du système solaire de traverser les douze maisons pendant ce même temps ; comme chaque maison a été gratifiée d'une valeur astrologique, les relations astres/maisons et maisons/signes donnent des interprétations qui entrent dans l'élaboration d'un portrait astrologique.

Les maisons définissent les principaux domaines dans lesquels évolue tout être humain. Elles sont des archétypes qui condensent tout ce qui peut arriver ; elles expriment les différents stades par lesquels passe l'être humain.

Tableau des planètes

Noms des planètes	MERCURE	VENUS	TERRE	MARS	
Distance au Soleil M/K : millions de kilomètres	58 M/K	108 M/K	149 M/K	218 M/K	
Diamètre	4800 km	12700 km	12756 km	6880 km	
Rotation sur elle-même en...		30 jours	24 heures	24 heures	
Rotation autour du Soleil en...	88 jours	225 jours	365 jours	687 jours	
A la vitesse de... K/S : kilomètre-seconde	48 K/S	35 K/S	30 K/S	24 K/S	
Température en degrés	- 500				
Satellites			Lune	Phobos Deimos	

Les aspects

Lors du « dressé » d'un ciel de naissance, la voûte céleste fait l'objet d'un « à-plat ». Le cercle ainsi dessiné, représentatif de l'espace cosmique, permet de positionner les planètes, les maisons, l'Ascendant. Apparaissent alors des écarts angulaires entre ces divers points et ces diverses planètes. Les aspects ainsi visibles « à l'œil nu » ont été codifiés par Képler, qui leur a attribué des bénéfices et des maléfices selon les angles formés.

JUPITER	SATURNE	NEPTUNE	URANUS	PLUTON
779 M/K	1425 M/K	4501 M/K	2868 M/K	5918 M/K
142000 km	120000 km	52900 km	49700 km	6000 km
10 heures	10,5 h.	15 heures	10,40 h.	
11 ans	29 ans	165 ans	84 ans	248 ans
14 K/S	9,6 K/S	3,4 K/S	6,8 K/S	4,7 K/S
- 130	- 140	- 200	- 185	- 230
12 sat.	9 sat.	2 sat.	5 sat.	

Les fonctions de l'Astrologie

L'Astrologie, étant le langage des astres, contient des messages qui s'adressent aux sciences comme aux religions, aux arts comme aux philosophies, à l'âme comme au corps, à l'esprit comme au cœur.

Au commencement étaient les astres et ce sont eux qui ont servi de champ d'observation pour comprendre et le monde et l'homme. Les astres ont toujours été des références pour la compréhension de l'âme humaine — ce mot pris dans le sens de principe de vie et de pensée, de dynamisme que possèdent les êtres « animés », et non dans un sens religieux. Les types planétaires en sont un exemple.

C'est ainsi que l'Astrologie est la science de l'homme dans l'univers et qu'elle peut expliquer les mille rouages d'une personnalité. Il n'y a rien d'occulte dans l'Astrologie. Il n'y a que des lacunes dans les explications rationnelles.

• La première fonction de l'Astrologie est de **lire l'inconscient,** d'**interpréter l'irrationnel** et de **déchiffrer les profondeurs de l'âme humaine.** Les Astrologues peuvent remercier le Docteur Jung lorsqu'il a associé l'Astrologie à la psychologie des profondeurs, en affirmant : « l'horoscope correspond à un certain moment de l'entretien mutuel des dieux, c'est-à-dire des archétypes psychiques ».

C'est grâce à ce don de « double vue » que l'Astrologie peut aider à trouver des solutions aux problèmes que tout être humain vit : problèmes sentimentaux, d'affaires, de santé...

Le but de tout enseignement, qu'il soit philosophique, psychologique, médical... est de permettre d'atteindre un état de paix, de bonheur et de quiétude. L'Astrologie est ainsi un guide remarquable pour accéder à sa définition personnelle de bien-être.

• D'autre part, l'Astrologie est une **clé prévisionnelle** qui peut indiquer les grands axes d'une destinée et déterminer les phases à venir d'une vie. Il ne s'agit pas d'affirmer et d'être péremptoire, mais de signaler ce que peuvent être les « cycles » qui appartiennent au futur. Il ne s'agit nullement de divination mais d'observation des mouvements élémentaires du système solaire avec ses planètes, ses étoiles... Taxe-t-on le météorologue de voyant et le marin de prophète parce qu'il leur est possible d'annoncer les orages et les marées ?

La respiration astrologique

De la même manière que les poumons se dilatent et se contractent environ une fois toutes les 3 secondes, chaque signe du Zodiaque s'inscrit dans un cycle d'expirations et d'inspirations : le premier mouvement étant en « expiration » et correspondant au signe du Bélier.

Dans ces jeux de flux et de reflux, nous retrouvons le symbolisme des mouvements de la vie avec ses alternances de lumière et d'obscurité, de veille et de sommeil, d'absorption et de rejet.

Le mot cycle est bien choisi pour définir les mouvements qui animent l'univers, puisque tout semble tourner en rond dans notre monde. Qu'importe si les cercles sont légèrement aplatis, ou si nous pensons que c'est « l'autre » qui bouge, l'essentiel est de connaître le phénomène et d'en tirer des conséquences qui soient plus des avantages que des inconvénients.

Quelques cycles

• Cycles humains

— Cycle de l'énergie : 24 heures (le Tchi de la médecine chinoise).
— Rythme cardiaque : 76 battements à la minute.
— Sécrétion rénale : cycle de 24 heures.
— Ovaires : 28 jours.
— Globules rouges : 128 jours.
— Calcium des os : 200 jours.

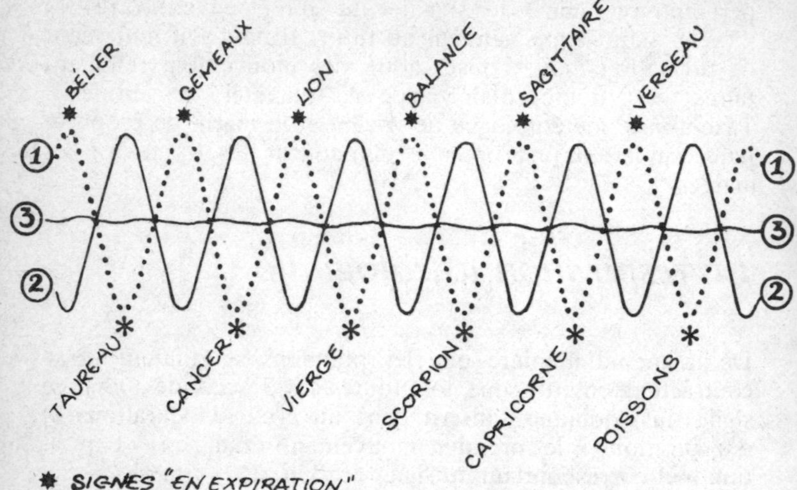

— Neurones cérébraux : 1000 périodes par seconde.
— Rythme delta (sommeil) : 1 à 3 périodes par seconde.

• **Cycles planétaires** (révolutions : temps que met une planète pour revenir au même point du Zodiaque)
— Lune : 19 ans.
— Mars : 79 ans.
— Mercure : 79 ans.
— Jupiter : 83 ans.
— Saturne : 59 ans.
— Uranus : 84 ans.
— Neptune : 165 ans.

• **Cycle de la respiration astrologique**
Les douze signes se suivent en un rythme fait d'expirations et d'inspirations.

Ce rythme des signes de naissance est matérialisé sur l'illustration par une ligne pointillée (n° 1)

Ainsi les signes des Bélier, Gémeaux, Lion, Balance, Sagittaire et Verseau sont des signes d'expiration et les signes Taureau, Cancer, Vierge, Scorpion, Capricorne et Poisson sont des signes d'inspiration.

A ce rythme s'ajoute celui des signes ascendants qui n'ont pas toujours la même fréquence (ligne pleine n°2)

Quelle est la respiration astrologique du signe de la Balance ?

Dans la démonstration de la respiration astrologique le signe de la Balance se trouve « en expiration » et ce « moment » explique nombre de traits de caractère particuliers de la personnalité Balance. La Rose des Vents visualise cette phase.

Un Balance pur n'existe pas puisqu'il a toujours un ascendant ; c'est pourquoi, lors de la rédaction d'un portrait astrologique, il faut « superposer » les particularités de ces deux « moments ». Tantôt ces phases seront toutes les deux « en inspiration », par exemple avec des signes ascendants Bélier, Lion, Verseau... ; tantôt elles seront en alternance, l'une, celle de la Balance, étant en « échange », et l'autre, celle de l'ascendant, étant en « retenue », par exemple avec les signes du Cancer, de la Vierge et du Poisson...

Deux diagrammes sont proposés à titre d'exemple :

— Diagramme n° 1 : le Balance rencontre un ascendant ayant la même phase que lui : ce qui donne deux signes « en échange ». Exemple : Balance avec un ascendant Sagittaire.

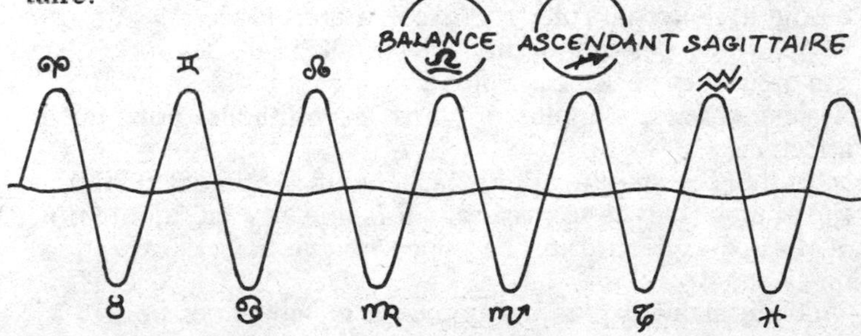

— Diagramme n° 2 : La Balance rencontre un ascendant ayant une phase différente ; soit un signe « en échange » plus un signe en « retenue ». Exemple : Balance ayant un ascendant Vierge.

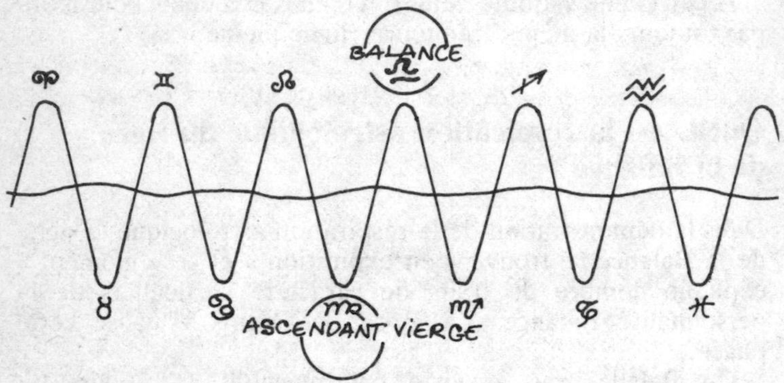

• **Diagramme n° 1**

Illustration de la superposition du « moment en expiration » de la respiration astrologique du signe de la Balance avec le « moment » d'un signe ascendant « en expiration » ; signes du Bélier, Gémeaux, Lion, Sagittaire (pris comme exemple), et Verseau.

Les deux signes « en expiration » accentuent les tendances « en échange, en communication, en extraversion… »

Cette superposition de deux tendances « en échange » peut donner au Balance une personnalité excessive, soit :

— des ambitions démesurées, de l'orgueil et de l'autoritarisme ;

— de la vanité et des tendances exhibitionnistes avec un besoin de jouer un rôle trop excessif dans la vie ;

— une folie des grandeurs, un gaspillage de ses forces, de son argent, et de ses capacités ;

— une absence de pudeur dans les attitudes, notamment affectives.

Toutes ces amplifications cachent un sentiment d'infériorité et un besoin de se rassurer soi-même en « en rajoutant ».

Mais cette description ne concerne que des cas exceptionnels…

D'une manière plus harmonieuse et moins pessimiste, les

Balances vivront très bien l'amplification de leur tendance «en échange » :
— ils sentiront une augmentation de leur dynamisme, de leur soif et de leur faim de vie ;
— ils auront de la grandeur d'âme, de la noblesse et de l'élégance, dans les attitudes les plus simples ;
— leur caractère sera expansif, ouvert à tous les sentiments ;
— ils feront preuve de franchise et de confiance en soi ;
— ils rechercheront une vie «extérieure », refusant tout de qui pourrait provoquer de la solitude et des repliements sur soi.

Mais les Balances devront, pour atteindre leur point central d'équilibre — soit la ligne-horizon — ne pas se laisser dominer par la tendance « en expiration » qui cherchera toujours, parce qu'elle est doublée, à les emmener toujours plus loin, toujours plus haut, toujours plus extra... quelque part. Il leur faudra constamment modérer leurs envolées et leurs enthousiasmes afin de ne pas trop s'éloigner de ce cordeau sur lequel se trouvent les justes milieux.

La ligne-horizon du diagramme est ondulée ; en effet cette ligne des points d'équilibre se doit d'être souple, en guirlande et élastique... afin que la personnalité des Balances ne soit pas raidie dans des attitudes absolues, sans nuance et automatique comme un robot sans cœur et sans âme.

• **Diagramme n° 2**

Illustration de la superposition du « moment en expiration » de la respiration astrologique du signe de la Balance avec le « moment » d'un signe ascendant « en inspiration » et « en retenue » : signes du Taureau, Cancer, Vierge (pris comme exemple), Scorpion, Capricorne et Poisson.

Les deux signes sont « en alternance », le signe de la Balance se trouve « en expiration » tandis que le signe de la Vierge se situe « en retenue » et cette superposition de deux tendances contraires peut être pour les Balances une source de problèmes.

C'est ainsi que les Balances souffriront :
— d'hésitations, d'inquiétudes, de nervosité, d'inconsistance, d'influençabilité, d'impatience, d'indiscipline, de sen-

sibilité souffrante... ;

— ils ressentiront des ambivalences et des changements irraisonnés de conduites, d'humeurs, d'idées et de sentiments.

Mais ces descriptions ne concernent que des cas exceptionnels...

D'une manière plus harmonieuse et moins pessimiste, les Balances vivront très bien l'alternance des deux tendances contraires :

— ils seront réceptifs à toutes idées et tous sentiments, ils seront souples, actifs, tolérants et accueillants à toute nouveauté ;

— ils bénéficieront d'une sensibilité féconde et d'une richesse d'idées et de sentiments ;

— ils seront originaux, à multiples facettes, pleins de projets et de dynamisme et surtout non bloqués dans des directions précises et absolues.

Mais les Balances, pour atteindre leur point central d'équilibre — soit la ligne-horizon — devront ne pas se laisser entraîner par les excessives oscillations des deux phases « en échange » et en « retenue ». Toujours en alternance, toujours en mobilité, les Balances risquent de ne jamais pouvoir se poser sur leur ligne-horizon à force de danser et de monter et descendre dans d'incessantes inquiétudes. C'est en harmonisant les impacts des deux « moments respiratoires » que le Balance atteindra ses points d'équilibre, son juste milieu.

C'est encore une fois la loi des contraires qui apparaît et qui tout en suggérant de l'instabilité — puisque les humeurs se suivent sans se ressembler — impose un équilibre en harmonisant les contrastes.

La ligne-horizon du diagramme est ondulée ; en effet, cette ligne des points d'équilibre se doit d'être souple, en guirlande et élastique... afin que la personnalité Balance ne soit pas raidie dans des attitudes absolues, sans nuance et automatique comme un robot sans cœur et sans âme.

Les sources du signe de la Balance

Les sources mythologiques et sacrées : Adonis, Aphrodite, Perséphone et les autres...

« Dieux et déesses... la Cour ! »

L'assistance se leva tandis que le roi Zeus, souverain président du tribunal d'Olympe, s'installait sur son trône. Le silence se fit et Zeus se tourna vers la Muse Calliope.

« Expose-nous, Calliope, toi qui écris d'argent et aussi parles d'or, toi qui connais les arts et inspires les poètes, expose-nous l'objet de ce présent débat ».

Majestueuse et belle, Calliope, le front ceint d'une couronne d'or, un stylet à la main, des tablettes sous le bras, s'approcha de la barre.

« Vous tous de l'Olympe, je suis mandée ici pour vous parler d'amour. Adonis, Aphrodite, Perséphone et les autres... tel peut être le titre de mon présent discours. Mais avant d'exposer les griefs de chacun, permettez-moi, ô dieux et déesses de céans, de faire étalage des pièces à confiction ».

Furent alors présentées dans des vases cristallins une très belle rose aux pétales d'un rouge sang et une anémone d'un même rouge vivant. Tous se rapprochèrent afin d'apprécier la beauté des deux fleurs et des chuchotements emplirent le prétoire.

“Qu’est-ce, interrogea Zeus, souriant dans sa barbe, on nous parle de drame, on juge quelques crimes et puis voilà des fleurs !

— Ce sont les fleurs du mal, car elles sont d’amour, répondit Calliope ; elles sont rouges du sang d’Adonis qui fut beau, et de celui brûlant d’Aphrodite qui l’aima”.

Et la Muse expliqua.

“Par quelques sortilèges dont les dieux sont friands, naquit un jour l’enfant prénommé Adonis dont la grâce est restée dans toutes les mémoires. Il était tellement beau que la Reine des Enfers, la sévère Perséphone, en tomba amoureuse ; et pourtant les dieux savent combien l’épouse d’Hadès n’est guère sentimentale ! Puis la tendre Aphrodite, vénusienne à souhait, s’éprit pareillement du trop bel Adonis. Et là fut le péril car les deux aimantes se disputèrent l’amant. Passionnées, enflammées et ardemment jalouses, elles ne savaient que faire pour être l’unique objet de ses tendres sentiments. Elles prétendent, il est vrai, avoir des droits égaux ; c’est pourquoi je demande qu’elles nous ouvrent leur cœur. »

Et commencèrent alors d’émouvantes plaidoiries.

« J’ai fait naître l’enfant, plaida l’amoureuse et très belle Aphrodite. C’est moi qui transformai la Mère d’Adonis, la trop jolie Myrrha dont le charme m’insultait, en un arbre parfumé. C’est moi qui, généreuse, recueillis Adonis lorsque l’arbre s’ouvrit. C’est moi qui le sauvai des foudres du roi Phenix qui voulait le tuer, en le dissimulant dans un coffre secret... Adonis me plaisait, c’est pourquoi je l’aimais.

— Adonis m’adorait, insista Aphrodite.

— Tu es une tricheuse, s’emporta Perséphone ; tu t’en es fait aimer par les charmes amoureux de ta ceinture magique, celle que Zeus ton Père imagina pour toi afin que tous les hommes ne puissent que te chérir. Tu la portais chaque jour pour qu’Adonis t’aime ; tu le troublais ainsi, tu le troublais sans cesse. Il est mort maintenant parce que tu l’aimais trop ! »

La Muse Calliope, dans un silence triste, fit asseoir les deux femmes et raconta la suite.

« Lors d’un premier jugement afin qu’une solution puisse

être apportée à cette histoire d'amour, il fut ordonné qu'Adonis puisse vivre en trois parties égales : l'une était consacrée à la Reine Perséphone, l'autre était accordée à l'aimable Aphrodite et enfin la troisième lui était des vacances afin qu'il puisse reprendre quelques forces nouvelles pour les fougues amoureuses des déesses gourmandes. Certes nous savons ici qu'Aphrodite tricha mais le drame survint quand Perséphone médit. Jalouse elle distilla un venin meurtrier en racontant à tous que sa belle rivale aimait un « simple mortel ». Les dieux prirent ombrage des querelles des amantes ; pour être amoureuses elles n'en demeuraient pas moins déesses ! Aussi le dieu Ares, triste prince des Enfers, fit œuvre de magie afin de supprimer ce mortel encombrant. Devenu sanglier aux défenses effilées, il poignarda à mort le pauvre Adonis d'une blessure à l'aine d'un coup de ses butoirs et ce crime eut lieu sous les yeux d'Aphrodite qui ne put que pleurer. »

Calliope alors, dans un grand jeu de manches, montra les fleurs rouges dans leurs vases limpides.

« L'anémone naquit là où perla le sang d'Adonis expirant ; le rouge de la rose est le sang d'Aphrodite qui voulant le soigner se blessa aux épines et aux ronces des haies où il était tombé. C'est pourquoi ces fleurs sont les témoins éternels de ces amours tragiques ».

Un jugement fut rendu, dont les attendus sont les sources mythologiques du signe de la Balance : un très juste partage pour de très nobles causes où l'amour est de règle.

« Nous, Zeus, seul président du tribunal d'Olympe, ordonnons qu'Adonis ressuscite des Enfers, qu'il soit le double amant, en deux temps ex-aequo, des deux femmes complices pour l'aimer sans excès. J'assigne à Aphrodite un unique devoir : protéger l'amour, être aimable aux amants, apprendre les tendresses et prêter parfois, à qui la sollicite, la ceinture magique qui fait les cœurs heureux. »

Les sources astronomiques, climatiques et cosmiques

Les Balances obéissent aux deux principes de toute vie universelle, le mouvement et les contraires. Et il faut replacer ce signe dans son cadre particulier.

La vie est un voyage (la loi du mouvement)

Par l'événement de sa naissance, la personne née sous le signe de la Balance se situe à une étape précise et mesurable dans la marche du temps. Nés entre le 23 septembre et le 22 octobre d'une année, les Balances entrent dans le circuit cosmique qui intéresse tous les êtres humains.

Les Balances ont donc à vivre la loi du mouvement qui anime tout l'univers. Emportés par les tourbillons, les rotations et les translations des planètes, les Balances subissent les conséquences de cette première loi, comme d'ailleurs tous les autres signes du Zodiaque, mais ils la subissent différemment puisqu'ils sont Balances.

A quoi reconnaît-on la vie chez un être ? il vibre, il frémit, il est en mouvement, même imperceptiblement. A l'instant où il ne bouge plus, il est mort.

Le signe des Balances est très sensible à tout ce qui est mobile, c'est une de ses facultés les plus attachantes. C'est ainsi que quelques mots-clés permettent déjà de « peindre » le type Balance :

action	invention	progression
aventure	liberté	rythme
énergie	mobilité	vers...
évasion	moderne	vie
force	progrès	vitesse
infini		

La terre : la toupie du soleil (la loi des contraires)

Il y a toujours un haut et un bas, une droite et une gauche, un jour et une nuit... qui se succèdent dans le monde cosmique. Les phénomènes de rotation que subissent les planètes sont les causes d'alternances et de contraires. Ainsi le signe de la Balance, tout en se soumettant à la loi du mouvement qui l'emmène à des vitesses connues, va vivre les oppositions et les contrastes que le système cosmique impose.

Les quelques mots-clés suivants, définissant la loi des contraires, « collent » également au personnage Balance :

antithèse	doute	obscurité
angoisse	infidélité	opposition
ambivalence	inquiétude	sensibilité
contrainte	impersonnalité	séparation
contrariété	« mal du siècle »	solitude
critique	masculin-féminin	souffrance
deux	mélancolie	subjectivité
dilemme	mystère	vie intérieure
dualité		

Période annuelle septembre/octobre : le miel de l'automne, la vie en équinoxe...

Dans l'ordre des saisons, après les mois de la Vierge qui proposent leurs lumières qui, même lorsqu'elles sont tamisées, font encore penser à l'été et qui offrent leurs tons sangria, brûlés, cuivrés qui ne sont plus des bronzages mais des couleurs de moissons, le signe de la Balance se coule sans à-coups.

C'est alors le temps des chaleurs calmes et des teintes feutrées comme des sous-bois d'automne et la nature semble vivre entre parenthèses des pleins étés et des pleins hivers dans un état second, un intermède reposant et romantique.

Dans l'orchestration des mois astrologiques, le signe de la Balance joue les mezzo en se situant dans un juste milieu entre le feu et la glace, entre les stridences des nuits craquantes de chaleur et les silences des jours vernis de givre. Entre les mousselines de l'été, encore allégées de court-vêtu et les lainages de l'hiver qui se doublent de fourrures, septembre/octobre s'habille en demi-saison.

Une Balance à la main, le signe pèse ses plaisirs de tiédeur et ses inquiétudes de fraîcheur.

Des mots-clés peuvent illustrer les caractéristiques Balance, de par leur positionnement dans l'étalage des saisons :

accord	justice	proportion
adaptation	médian	juste milieu
ajustement	oscillation	intermédiaire
arbitrage	passivité	paix
équilibre	repos	
équinoxe	symétrie	

L'élément air est la nourriture de la Balance

C'est l'Astrologue Claude Ptolémée qui donna l'élément air au signe de la Balance lors de sa distribution des quatre éléments aux différents signes du Zodiaque.

L'élément air de la Balance a des similitudes avec celui des Gémeaux mais les influences de la planète Vénus ont tendance à les sentimentaliser.

C'est ainsi que le comportement astrologiquement « aérien » de la Balance sera dilaté, adouci et plus porté à arrondir les angles qu'à les amplifier à coups d'agressivité.

L'élément air, déguisé en courants d'air, sautes de vents, et autres mistralets sous la signature des Gémeaux se fera bise et zéphyr, et pourquoi pas sirocco tendre et tiède avec la complicité de Vénus la douce.

Voici quelques mots-clés de la Balance, compte tenu de son appartenance à l'élément air :

air	humeur	oiseau
aérien	idéal	parole
atmosphère	immatériel	pureté
affectation	influence	son
apparence	inspiration	souffle
ciel	instabilité	vent
espace	liberté	voler
esprit haut	milieu	

La phase d'expiration donne à la Balance des besoins d'échanges et de communications

Il y a dans la définition du mot « expirer » des éléments qui jouent en faveur des caractéristiques typiquement Balance, soit : échange et extérieur.

Le signe de la Balance est poussé à vivre au-delà des limites de la cage cosmique : il a besoin d'être hors de... car les intérieurs ne lui conviennent pas ; pour satisfaire ses exigences vitales, il a besoin d'échanger, d'exprimer, d'expulser ce qu'il emmagasine et qui, s'il le bloquait en une inspiration forcée, finirait par l'étouffer.

Il y a plusieurs façons de respirer et le signe de la Balance ne se contentera pas d'une expiration bien dosée et bien cadencée ; compte tenu de ses autres spécifications il aura tendance à respirer trop vite, à s'essouffler, à palpiter et à haleter.

Les mots-clés qui peuvent illustrer le comportement symbolique Balance dans cette idée de respiration astrologique sont:

air	ex... (hors de)	haleine
asphyxie	échange	respiration
bouffée	exhaler	rythme
communication	existence	sortir de...
dispersion	fuite	souffler

La rose des vents de la Balance

La personnalité astrologique de la Balance superpose les influences générales des deux moteurs (loi du mouvement et loi des contraires) qui s'adressent à tous les autres signes, et les influences particulières de la planète-maîtresse, de l'élément, de la phase de la respiration astrologique et enfin de la période des mois astrologiques de l'année.

Tout l'art de la Balance sera d'harmoniser les forces et les tendances, les éléments généraux et particuliers qui s'affrontent, se bousculent, se contrarient... Les « mots » choisis ne doivent pas être pris « au pied de la lettre » ; il s'agit de mots-symboles, de mots formules qui ont pour but d'éveiller l'imagination et de permettre des jeux d'association, des analogies et des travaux de synthèse.

• **Au centre** de la rose des vents : les deux moteurs
— la loi du mouvement
— la loi des contraires

• **Les branches** de la rose des vents : les quatre influences spécifiques du signe astrologique :
— **P** zone d'influences de la planète-maîtresse
— **E** zone d'influence de l'élément
— **R** zone d'influence de la phase de la respiration astrologique
— **M** zone d'influence de la période des mois astrologiques.

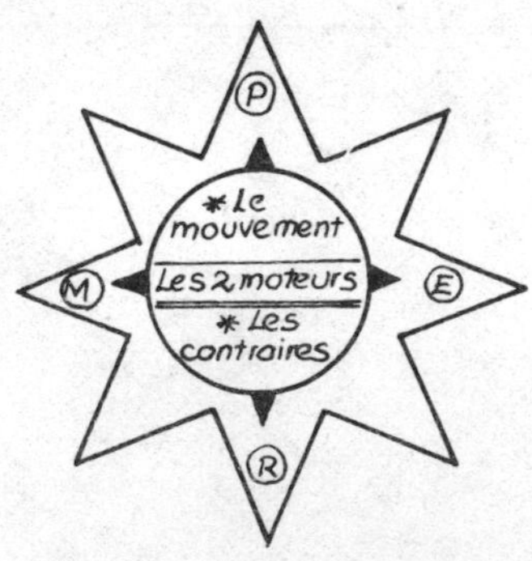

Qualités

adaptable
affectueux
aimable
amoureux
apaisement
artiste
attentionné
beauté
bon
cajoleur
calme
charmant
complaisant

concorde
conciliant
délicatesse
désir
douceur
échange
élégant
esthétique
facile à vivre
féminité
gentil
gracieux
humaniste

idéal
inspiration
intimité
juste
ouvert
pacifique
possessif
poète
sensible
sentimental
souple
tendre
tolérant
union

accord
arbitre
calme, compensation
concession
convention
détente
diplomatie
discrétion
égalité
étalonnage
harmonie
modération
ordre
paix
patient
placide
pondéré
posé
précis
proportion
pureté
raisonnable
recueillement
réfléchi

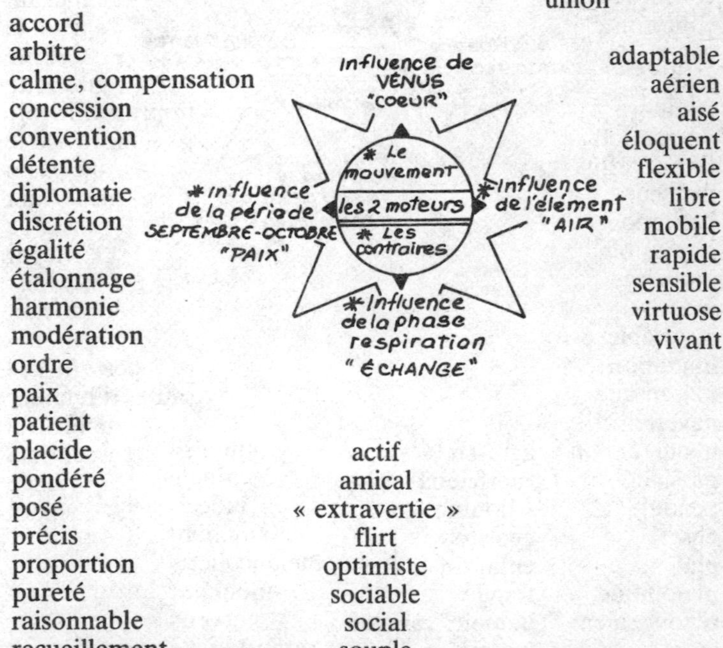

adaptable
aérien
aisé
éloquent
flexible
libre
mobile
rapide
sensible
virtuose
vivant

actif
amical
« extravertie »
flirt
optimiste
sociable
social
souple
souriant

Défauts

capricieux
défaitiste
désarmé
étourdi
faible
féminisation
flatteur
fragile

influençable
léger
manque d'affirmation
manque d'énergie
mondain
opportuniste
snob

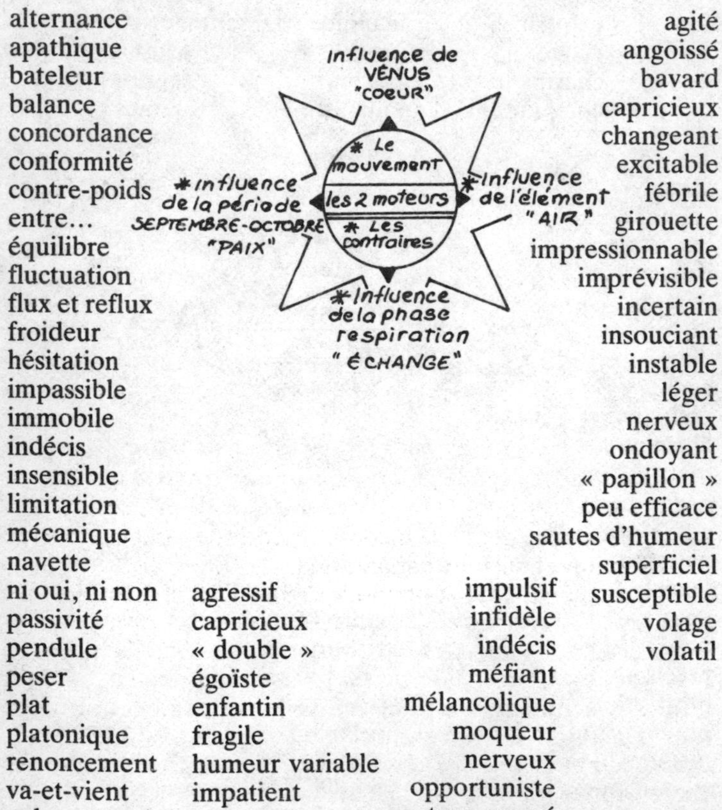

alternance
apathique
bateleur
balance
concordance
conformité
contre-poids
entre…
équilibre
fluctuation
flux et reflux
froideur
hésitation
impassible
immobile
indécis
insensible
limitation
mécanique
navette
ni oui, ni non
passivité
pendule
peser
plat
platonique
renoncement
va-et-vient
volage

agité
angoissé
bavard
capricieux
changeant
excitable
fébrile
girouette
impressionnable
imprévisible
incertain
insouciant
instable
léger
nerveux
ondoyant
« papillon »
peu efficace
sautes d'humeur
superficiel
susceptible
volage
volatil

agressif
capricieux
« double »
égoïste
enfantin
fragile
humeur variable
impatient

impulsif
infidèle
indécis
méfiant
mélancolique
moqueur
nerveux
opportuniste
trop pressé

Portrait astrologique du signe de la Balance

Les grandes lignes de la Balance

Le physique

Vénus, quand elle est de bonne humeur, est pour le signe de la Balance ce que le romantisme, quand il n'est pas en état de crise, est aux sentiments.

Elle adoucit les passions, exalte une sensibilité souriante et communicative, équilibre les attitudes en évitant des désespoirs, des orgueils et des révoltes intempestives et enfin elle permet à la délicatesse de cœur et d'esprit de s'exprimer avec art, affection et surtout pondération.

Et c'est ainsi que le physique d'une Balance respire ces tendances à l'harmonie, à la paix et à la douceur en affectionnant les arrondis et les ovales. Des courbes reflètent une bonté naturelle, un équilibre des forces et une spontanéité des sentiments tandis que des ondulations de lignes, non exemptes de quelques rondeurs, avouent que les affirmations se font sans brutalité avec des soucis constants d'arrondir les angles.

Il y a une petite touche de Lamartine chez les êtres

Balance : une nonchalance délicate mais cependant palpable, une douceur de traits sans mignardise ni vulgarité et un charme reposant velouté d'un romantisme et d'une tendresse que l'on souhaiterait parfois un peu plus efficaces.

Vénus apporte cent gracieusetés quelquefois un peu trop voyantes quand il s'agit d'un homme-Balance. Le flou, le doux et le coquet dans les attitudes sont exquis quand il s'agit, pour une femme, de conquérir les cœurs qu'elle fait semblant de convoiter, mais des comportements à l'eau de rose, parce que trop vénusiens, peuvent devenir équivoques quand il s'agit d'un homme.

L'écriture de la Balance

Les mouvements en courbe, faits comme s'il s'agissait de caresser le papier, plaisent à la Balance. Elle peut exprimer dans ces gestes arrondis, souvent en guirlandes ou en anneaux, sa sociabilité à fleur de plume et son affectivité à cœur ouvert. Les majuscules sont souvent bien élevées, bien ourlées, poussées par quelques exigences d'esthétique ; les traits sont palpables car bien ancrés et la pression est à la fois douce comme une tendresse spontanée mais aussi ferme comme une compréhension bien équilibrée.

La Balance, tout en vivant avec optimisme ses influences vénusiennes et ses envolées aériennes, conserve une parfaite maîtrise d'elle-même. Ses exigences de justes milieux, tout en lui faisant préférer les traits arrondis, l'amènent à choisir quelques figures droites afin d'équilibrer ses deux tendances, celle « en courbe » d'essence féminine, et celle « en angle » d'essence masculine.

La Balance étant naturellement polie, sociable et prête à écouter lorsqu'on lui parle « d'amour », ne cherchera pas à casser ses lettres par des agressivités en crochets ou en angles ; elle préférera les navettes et les oscillations d'une écriture souple, longue et dilatée ; une dose de chaleur ouvrira les corps de lettres tandis que quelques coquilles iront chercher et envelopper qui voudra bien se laisser séduire.

Aptitudes professionnelles de la Balance

Le choix d'une profession pour la Balance peut être facilité par la connaissance de certaines combinaisons planétaires.

En effet, Vénus, planète-maîtresse du signe de la Balance, apporte des prédispositions qui ont une coloration « sentimentale ».

Il n'en demeure pas moins qu'il existe nombre d'activités que la Balance peut exercer avec succès et bonheur. Comment les connaître ?

En ce qui concerne ce domaine précis des activités, les quatre éléments : feu, air, terre, eau donnent des renseignements très précieux. En effet, comme l'explique le philosophe Gaston Bachelard, les quatre éléments sont la base de « l'imagination matérielle », ils permettent de « penser la matière » ; or qu'est-ce que choisir un métier sinon entrer en contact avec les choses matérielles de la vie ? Exercer une activité, quelle qu'elle soit, permet de subvenir à son existence ; il y a bien une liaison entre les éléments et la vie.

Remarque

Les noms de professions proposées sont symboliques d'un type d'activités dans lesquelles peuvent s'harmoniser les qualités et les aptitudes proposées par Vénus — planète-maîtresse de la Balance — et les composantes feu, air, terre, eau données par l'élément.

Ainsi il est possible d'être « artiste » dans sa profession sans pour cela « monter sur les planches » !

Les commentaires proposés peuvent être appréciés, en dehors de toutes préoccupations professionnelles, comme des « flashes » mettant en lumière des attitudes et des comportements typiquement Balance à l'occasion de sa vie privée et sentimentale.

Vénus et l'élément feu

Les professions de spectacle : acteur mais aussi scénariste, costumier, décorateur...

Lorsque Vénus, astre aimable et aimant, éperdue de beauté et de tendresse, se trouve sous les soleils de l'élément feu, la Balance a chaud au cœur. Elle brûlera d'enthousiasme et débordera de sentiments tourbillonnants comme des feux de bengale. Ce sera le moment pour elle d'exploser dans des professions où elle vivra, par l'entremise de quelques personnages, des sentiments hauts en couleur ; elle jouera bien, avec émotion et foi, et ses tirades incendieront les cœurs des spectateurs.

Les décors, les lumières, les espaces, se devront d'être romantiques et sublimes ; peu de drames et de meurtres mais des atmosphères ouatées de passions et majestueuses en déclamations d'amour. En épanchant son cœur à l'occasion de professions de spectacle, la Balance dédramatisera les sentiments qui l'échauffent ; les jeux de scènes, les dédoublements de cœur et les possibilités d'incarner des rôles brûlants d'absolu amoureux, seront utiles pour « décompresser » ses enthousiasmes affectifs trop chauffés au rouge par le feu Vénusien.

Comme toute Balance ne possède pas des aptitudes pour jouer la comédie ou la tragédie et faire acte de théâtre, elle pourra utiliser ses dons à la fabrication de décors et à l'élaboration de costumes et de maquillage. Ses dispositions vénusiennes, attisées par son élément feu, se dilateront et surtout seront dynamisées. La Balance y gagnera des capacités assez exceptionnelles pour embellir toute chose et donner de la couleur et du volume aux moindres détails et aux plus petits accessoires.

Son imagination créera des mouvements, des amplitudes et exaltera toute la kyrielle des plaisirs et des souffrances chers aux romantiques. Toutes les formes de l'amour seront exploitées : de l'adoration à la tendresse, de la coquetterie à l'adultère en passant par les amours platoniques et les passions chevaleresques. A coups de ciseaux, de pinceaux, de plume, la Balance trouvera le drapé, la teinte et le mot qui parleront d'amour…

Toutes les professions pourvu que des contacts « affectifs » puissent être établis

Toutes les activités s'exerçant dans des endroits « mondains », tout en évitant qu'ils soient par trop populaires, dans des lieux de commerce, de passage, de rencontre, seront très appréciées. L'essentiel étant que des poignées de main, même si elles sont superficielles, et des embrassades, même si elles sont maniérées, puissent être échangées.

Vénus, chauffée par l'élément feu, a besoin d'admirer, de se passionner, d'être lyrique, et seules des ambiances ayant une densité sentimentale importante seront suffisantes pour contenter une telle combinaison.

Il est certain que même si les atmosphères sont tièdes, la Balance, ainsi illuminée par cette complicité Vénus/Feu, réussira en peu de temps à faire grimper la température ambiante. Elle sera chaleureuse, entraînante, émouvante de charme, d'amitié et de cent dispositions affectueuses.

Professions artistiques : peinture, sculpture…

Vénus est complaisante pour tous les arts ; elle a même tendance à donner à la Balance le goût de l'art pour l'art. La beauté seule est alors recherchée et le plaisir de l'œuvre belle est voulu jusqu'à devenir chef-d'œuvre. C'est ainsi que le feu peut donner du génie aux sentiments déjà artistes et soucieux de toute esthétique de Vénus.

La Balance vivra sa vie comme s'il s'agissait d'un travail d'artiste, transformant chaque instant en une parcelle d'œuvre nourrie de sensibilité aimable, d'accueil à tous les sentiments d'autrui. Elle pourra ainsi, non contente d'exceller dans les beaux-arts — peinture, arts décoratifs, architecture, danse, musique, cinéma — , atteindre un art de vivre dans lequel elle se développera harmonieusement avec tous ses sens, toutes ses facultés et toutes ses espérances sentimentales.

Vénus et l'élément air

Les professions où les mots servent à dire juste

L'élément air invite à penser, à parler et à écrire. Il est le porte-parole et le porte-plume du signe qu'il inspire. En s'associant avec la planète Vénus, tout éprise de justice, la Balance ne peut que se faire avocat, homme ou femme de robe et de loi. L'esprit sera de rigueur ; il se fera critique et amateur de juste milieu à défaut de justice. La Balance cherchera à agir et à parler aussi vrai que possible, ce qui facilitera l'exercice de nombre de professions dans lesquelles l'usage des codes va de pair avec la nécessité d'un jugement sûr.

Animée par un esprit de justesse, elle s'efforcera de comprendre, d'expliquer et d'analyser le beau et le vrai en toutes choses, aussi bien dans les idées que dans les sentiments ; l'exercice de professions de critique d'art, d'expert en « beaux-arts » sera ainsi favorisé.

La Balance sera habile en propos utiles mais aussi plaisants, car Vénus cherchera toujours à apaiser les esprits et à concilier les partis. La plume et le mot ne seront pas d'attaque mais d'apaisement.

Les professions où l'on communique, où l'on écrit, où l'on échange des propos, mais où les ambiances sont « affectives »

La Balance se trouve enrichie de belles et affectueuses pensées lorsque Vénus rencontre l'élément air. Le temps sera aux propos chaleureux, aux dialogues humanitaires mais aussi à la poésie et aux divertissements épistolaires et de langage. Les paroles couleront d'elles-mêmes puisque harmonieusement concues et offertes avec sentiment. Vénus, s'accordant avec l'air, se fera muse pour le profit de la Balance qui pourra ainsi parler « d'une bouche harmonieuse » comme l'écrit Horace à propos des Grecs cultivés.

Toutes les professions dans lesquelles il conviendra de séduire et de convaincre, par des mots plus que par des faits, seront très bien exercées. La Balance sera capable d'adaptation, elle sera ouverte et expansive, spontanée dans ses manifestations affectives ; elle saura parler et écrire avec chaleur, en trouvant « les mots pour le dire ». Elle parlera au papier avec affection mais non sans habileté.

Des activités commerciales aux professions de représentation, la Balance sera à l'aise : elle associera les avantages du vendeur-charmeur ou de la vendeuse-charmeuse à la compréhension des besoins de chacun afin qu'un équilibre soit trouvé entre le budget de l'un et les finances de l'autre.

Les professions où s'additionnent les besoins de juste milieu et les aptitudes mercuriennes d'éloquence

Les carrières politiques, celles dans lesquelles la foi pour une idée humaine peut trouver à s'épanouir, seront exercées avec efficacité. La Balance sera affable, courtoise, séduisante même et obtiendra des résultats exceptionnels par des comportements modérés, des jeux de nuances et des recherches « d'entente cordiale ».

Détestant tout ce qui peut être violence, la Balance ainsi favorisée par un élément air trouvera dans des ambiances collectives, associations, syndicales, des possibilités de s'exprimer et de réaliser de grandes et belles œuvres qui ressembleront à quelques croisades pour la paix.

Vénus et l'élément terre

Les professions où peut s'exercer la science du « beau » : l'esthétique, la couture, les antiquités...

Vénus donne à la Balance des qualités esthétiques dans nombre de domaines. Qu'il s'agisse d'embellir une attitude, de flatter un visage, d'idéaliser un corps, la Balance saura trouver le matériau, la pâte, le toucher pour réussir quelque œuvre parfaite.

L'élément terre permettra au doigté vénusien de se faire patient et précis ; les gestes seront veloutés de sensualité et gagneront des atouts de « bien fait ».

Les objets d'art que l'on peut caresser, polir, cirer seront animés et appréciés. Dans cette heureuse combinaison, la terre sera pour Vénus comme le corps d'un être aimé, avec lequel des communications s'établissent par des caresses.

Des activités aussi différentes que fleuriste, paysagiste, coiffeur, marchand de fourrure, brodeuse, couturier, ébéniste, modéliste, étalagiste, etc, feront intervenir à la fois les composantes sensuelles, affectives et sentimentales des influences vénusiennes et les besoins de palpable, de « terre-à-terre », de « main à la pâte » de l'élément terre.

Toutes les professions où la beauté du geste parle d'équilibre et de paix

« Le geste auguste du semeur » peut illustrer poétiquement cet état de grâce où une paix intérieure s'associe au noble contact de la terre-mère. La terre symbolique n'a pas toujours besoin d'être la terre-matière ; elle peut être le bois, la pierre, les plantes, les fibres, les toiles, les peaux...

Se retrouvent dans ces types d'activités, la « science du beau » qui peut servir de révélateur aux tendances naturelles ; ainsi tailler une pierre pour à la fois en jouir du toucher et lui donner une forme belle peut être l'œuvre d'un sculpteur, d'un maçon, d'un bijoutier...

Vénus et l'élément eau

Les professions de contact, de conciliation, de compréhension, d'adaptation

La composante eau est sociale, fluide, fertile ; elle est peu consistante par définition puisqu'elle est coulante et sans angle. Cet élément tout en guirlande donne des qualités de souplesse et d'adaptation ; il n'est pas agressif mais au contraire invite à une passivité et à un laisser-couler quelquefois préjudiciable à une conclusion des entreprises commencées.

Lorsque cet élément s'associe à l'influence de la planète Vénus, les aptitudes aimables se font affectueuses et les souhaits de non-violence deviennent de l'amour tout court.

C'est pourquoi la Balance bénéficiant de cette complicité aura des exigences « sociales » très développées : toutes les professions dans lesquelles il sera question d'aider son prochain d'une manière ou d'une autre seront très bien exercées, soit : infirmière, assistant social, médecin, conseillère conjugale, agent matrimonial...

Vocations humaines plus que religieuses

Aimer son prochain ne veut pas nécessairement dire lui apprendre une foi et lui demander de prier ; ainsi Gandhi qui fut un apôtre de la non-violence et qui fut, selon les éphémérides, une Balance, s'efforça de concilier son amour des hommes avec ses souhaits d'équilibre et d'équité, sans imposer de religion.

De plus, la Balance appréciant les idées associatives, les professions dans lesquelles une « association » de vie est proposée ou exigée peuvent très bien lui convenir.

Les professions de service

L'esthétique d'un beau plat préparé avec l'amour du métier... voilà une recette digne de la Balance. L'eau donne les intérêts sensoriels, les recherches de confection de mets, de contacts avec des produits transformables et Vénus apporte les souhaits d'être agréable et de procurer quelque volupté. Le bon goût, le raffinement et la délicatesse seront au rendez-vous.

La Balance, tout à ses aptitudes « sentimentales », créera des ambiances détendues et chaleureuses ; il sera un excellent public-relation, meneur de jeux, guide, maître de cérémonie.

Le comportement amoureux de la Balance

Monsieur Balance amoureux

A-t-on déjà vu Monsieur Balance faire une déclaration d'amour ? Il reste silencieux tant il cherche le mot juste, celui qui tout en étant assez éloquent quant à la chaleur de ses sentiments, sera cependant dépouillé d'extrême passion afin qu'il ne dépasse pas les limites des élégances des justes milieux.

Et de mot en demi-teinte en regard en demi-ton, il convient de deviner que Monsieur Balance est amoureux. Cela peut plaire à certaines partenaires lorsqu'elles possèdent la même délicatesse d'expression ; les silences moelleux de tendresse distillent alors des émotions subtiles où les sentiments oscillent comme en une valse-hésitation. Mais lorsque ces dames souhaitent que « les choses soient dites » et que les sentiments soient avoués afin qu'ils puissent être partagés et s'épanouir en duo, il peut y avoir un problème.

Certes les devinettes sentimentales qu'affectionne Monsieur Balance ont de l'esprit mais elles manquent parfois de corps par excès d'hésitation. Les sensations amoureuses qu'il espère et dont il est friand — sa planète Vénus a des exigences raffinées qui pour être romantiques n'en sont pas moins bien palpables — sont peu convenues du moins dans un premier temps. Monsieur Balance ne les déclare pas, il les suggère, et il ne les phrase pas, il les périphrase de peur de trop en dire, de crainte de ne pas en dire assez. Voilà les souffrances sentimentales de Monsieur Balance : il tourne en rond en vertu d'un point central d'équilibre qu'il n'ose abandonner et il ménage ses inquiétudes de « trop » et de « pas assez » en un manège de compromission. Ne voulant à aucun prix faire souffrir les dames et les demoiselles qu'il a séduites, il en arrive à se laisser choisir, ce qui lui évite de trancher les problèmes de choix.

Monsieur Balance aime chaque fois comme s'il entonnait un hymne en l'honneur de l'amour.

Il y a d'abord les stances pour et contre : « j'aime, je n'aime pas... » puis les psaumes répétitifs : « je prendrai une décision, il faut que je prenne une décision... » et enfin le poème lyrique : « je suis fait pour le mariage, j'ai besoin de vous comme moitié, il faut que nous nous unissions... » Et tout se termine dans un duo où tendresse rime avec ivresse et amour avec toujours. Le problème est que parfois Monsieur Balance chante les mêmes refrains à plusieurs partenaires en même temps !

Lorsque les jeux amoureux sont faits — et les dieux de l'astrologie savent combien Monsieur Balance a hésité avant de choisir sa couleur et de déposer sa mise — il reste fidèle, accommodant, tolérant et patient dans une fixité affective apaisante, mais ce pendant un certain temps, le temps de l'amour...

Il sera un mari parfait et discipliné aux exigences de sa partenaire. Peut-être sera-t-il d'ailleurs trop attentionné, considérant que puisque l'amour est dit, il l'est exclusivement, ce qui le rendra agaçant de prévenances excessives. Il est possible que l'inquiétude d'avouer ses sentiments, quand ils sont profonds, naisse justement de cette connaissance de l'irrémédiable de l'amour.

L'amour est aussi une œuvre d'art pour Monsieur Balance ; il aime avec son cœur, son corps mais aussi sa sensibilité d'artiste. C'est pourquoi les « formes » de l'être aimé, son esthétique d'une manière générale, ont beaucoup d'importance. Ses souhaits de plastique harmonieuse et ses espérances de volume, de ton et de toucher idéaux doivent être comblés ; à défaut il les inventera en imagination ou en sublimation dans ses œuvres d'art.

Il y a donc du romantisme à haute dose dans les histoires d'amour de Monsieur Balance, mais il y a aussi cette éternelle recherche d'équilibre et de juste milieu intérieur qui peut à la longue empoisonner des rapports commencés sous les heureux auspices d'une Vénus bienveillante.

Monsieur Balance, tout à ses alternatives et à ses mitoyennetés, se verra reprocher ses indécisions et sa partenaire ballottée entre deux eaux refusera un beau jour de s'embarquer pour un nouveau Cythère sur le bateau conjugal qui ne sera que le radeau de la Méduse. Mais peut-être cette séparation était-elle souhaitée par Monsieur Balance sans qu'il ose ni la formuler, ni l'affirmer !

Madame Balance amoureuse

Madame Balance ne peut qu'être amoureuse ; à défaut elle s'étiole et se fane comme un bouquet mal aimé. Elle est toujours disponible à se lier d'amour ; et ce mot « liaison » exprime bien ce besoin d'attachement exclusif et intense qui la noue à un être aimé. Elle aime aimer et aime qu'on l'aime avec un romantisme courtois mais aussi avec une intensité de vibrations sensorielles. Le corps, pour Madame Balance, a des raisons de volupté que sa conscience accepte volontiers, l'essentiel étant la manière dont cela se passe ; Vénusienne par définition, il lui faut des décors intimes, confortables et imaginatifs à l'unisson de ses goûts pour le plus que parfait. Mais avant de succomber aux mouvements d'une quelconque passion, elle observe un temps de recueillement comme s'il s'agissait d'entrer en religion. Il y a chez Madame Balance un impérieux besoin de ne pas se tromper dans ses affections, en confondant les sentiments qui la font vibrer : est-ce de l'admiration, de la sympathie, de la tendresse, de l'amitié... ?

C'est ainsi que son amour du juste milieu passe souvent avant l'amour tout court. Rassurée quant aux normes de conformité de ses enthousiasmes sentimentaux, elle s'autorise alors à laisser déborder ses tendresses, ses caresses et toute son énergie amoureuse, qui ne demandaient qu'à s'épanouir, au profit d'un partenaire nécessairement le plus beau, le plus aimant et le plus aimable, puisque choisi !

Madame Balance, lorsqu'elle se trouve installée dans les liens d'un mariage, a beaucoup de difficultés à les dénouer. Pour deux raisons : la première vient d'une tendance naturelle à souhaiter la paix en toutes circonstances ; qu'importe si l'entente se conjugue à l'imparfait, l'essentiel étant que règne un état de non-agressivité ; il n'est pas exclu cependant qu'elle puisse se permettre quelques velléités extraconjugales sans que personne le sache ! La deuxième raison vient de ses difficultés quasi viscérales à quitter ce qui est pour atteindre ce qui pourrait être.

Il y a un jeu de bascule dans les indécisions de Madame Balance qui lui font préférer une passivité sentimentale quelquefois ankylosante à un débordement amoureux qui pourrait être merveilleux de chaude passion et d'entente en tout genre. Mais ainsi est faite Madame Balance qui préfère les statu-quo dans tous les domaines, parce qu'ils sont établis, étiquetés donc sans vagues turbulentes, aux frémissements d'affections qu'elle craindrait comme pouvant se transformer bientôt en irrésistibles tourbillons.

Madame Balance a peu de mémoire en amour. Cela est le résultat d'un long mûrissement intérieur ; lorsque les fruits de la passion sont tombés, la cueillette est terminée et les yeux du cœur se portent vers d'autres récoltes amoureuses. Ce mécanisme facilite l'éclosion de toutes nouvelles inclinaisons qui ne se trouvent donc pas encombrées par des souvenirs poussiéreux.

Il y a un vouloir-vivre et un vouloir-aimer mêlés chez Madame Balance, qui la poussent à se dépasser constamment dans des œuvres où la notion d'amour est prépondérante. Aux frontières de cette exigence et dans le cas où Madame Balance ne pourrait être chérie et chérir à son tour, elle s'offrira à d'autres amours, non sans avoir pesé pendant un long temps de réflexion le pour et le contre de cette décision, afin de ne pas trébucher dans des histoires sentimentales passionnées à l'excès.

Madame Balance adore les pompes du « mariage » qui

rassurent ses recherches d'esthétique, de convenances et de foi conjugale. Son art d'aimer ne peut se dissocier de l'art des formes, des gestes et du style. Tout est beau dans ce qu'elle aime parce que tout ce qu'elle aime est beau.

Comment la Balance peut-elle réussir sa vie de cœur ?

Le bilan des « conditions » pour qu'un Balance réussisse sa vie de cœur peut paraître désespérant... s'il n'était au contraire riche de mille nuances.

Le Balance a à remplir des conditions « visibles » et des conditions « invisibles ».

• Voici quelques **« conditions visibles » :**

— Comme tout le monde le Balance a un ou des physiques préférés ; mince, petit, grand, brun, blond ou blonde, mince ou potelée...

— De la manière dont il a été élevé et éduqué, il peut être sensible à une éducation, à une instruction, à un style de vie particulier...

— Peut-être a-t-il reçu une éducation religieuse qui peut également conditionner son choix...

— Selon les ambiances familiales, le Balance peut donner de l'importance à l'argent, au titre, au confort, aux diplômes...

— Et puis, il y a les goûts et les couleurs, les préférences et les caprices...

Certes le Balance sera comblé s'il satisfait ses tendances « visibles », mais il s'apercevra, la lune de miel passée, qu'il « manque quelque chose » pour que tout soit parfait : la deuxième partie de la pomme !

• Alors interviennent les **« conditions invisibles »** ; c'est là où le diagramme de la respiration astrologique de la Balance peut apporter une aide.

Connaître les tendances que tout être humain possède dans l'ombre de sa personnalité invisible, est un gage de réussite de sa vie aussi bien personnelle que sentimentale.

Le Balance étant un signe « d'expiration » a besoin de s'harmoniser avec sa tendance « invisible », celle qu'il a dans l'ombre. Il s'agit donc de tendance « en inspiration et en retenue » comme l'ont les signes du Taureau, Cancer, Vierge, Scorpion, Capricorne et Poisson.

Qu'apporteront au Balance ces signes « en retenue » ?

Toutes les qualités et peut-être les faiblesses qui lui manquent soit : plus de calme, de prudence, de lenteur et de sobriété dans les manières d'être. Toutes les attitudes que l'on appelle « introverties » et qui sont opposées à celles qu'on nomme « extraverties » comme le sont celles des Balances ; soit un peu de timidité et de pudeur dans le comportement, des silences qui permettent de camoufler les états d'âme et de cœur, beaucoup de sentiments enfouis dans le for intérieur, une sensibilité vibrante... Il sera reposant pour le Balance toujours « dans le monde » de pouvoir se reposer avec un partenaire discret et accueillant dans « leur intimité ».

Encore faut-il que le Balance accepte ce principe de la complémentarité amoureuse ! Dans sa quête de l'être aimé, tel-qu'il-le-rêve-depuis-toujours, il doit savoir qu'étant « extraverti » il a absolument besoin de rencontrer un partenaire « introverti ». S'il s'obstine à ne vouloir réaliser sa vie de couple qu'avec des êtres « qui lui ressemblent », il sera, pendant le temps des premiers amours certes rassuré : « Vous vous rendez compte, nous avons les mêmes goûts, nous nous comprenons tellement bien, nous nous ressemblons comme deux gouttes d'eau ; nous avons mille occupations, mille voyages, nous sommes perpétuellement entourés d'amis... nous avons toujours quelque chose à faire, à dire, à voir... »

Puis, passé ce premier scénario, s'installera la saturation et l'exaspération ; pas possible d'être un moment tranquille, pas possible de dialoguer avec son âme, de s'occuper de créations personnelles plus profondes et surtout plus détendues...

Et l'on finit par reprocher à l'autre justement les qualités qui l'ont fait choisir.

La comparaison des Roses des Vents du signe de la Balance et des autres signes permet de comprendre les compatibilités des planètes, des éléments, des périodes annuelles et des « moments » de la respiration astrologique... entre eux.

C'est ainsi qu'un petit guide amoureux est proposé.

Petit guide amoureux : la Balance et les autres

La Balance et le Bélier

L'amour chez Monsieur et Madame Balance est à haute teneur de romantisme, les passions sont adoucies de tendresse et d'effusions où la poésie et la délicatesse ont toujours une place privilégiée.

La dévotion amoureuse de la Balance séduira Monsieur et Madame Bélier qui se sentiront englués dans des voluptés sentimentales attendrissantes ; cette disposition sera parfaite si Monsieur est Bélier et Madame Balance, car cette dernière sera toute fondante de caresses et toujours disponible à quelque câlinerie. Ne se mettant pas en colère, recherchant en toutes circonstances des compromis, elle apaisera les enthousiasmes de son partenaire Bélier trop souvent gaspilleur de ses énergies. Une fascination sera possible, l'un apportant à l'autre le « quelque chose » que chacun possède dans l'ombre : ainsi le Bélier oublie parfois de se montrer modéré et raffiné dans ses enivrements amoureux tandis que la Balance n'arrive pas toujours à faire acte d'affirmation de soi ou à faire preuve d'extrême esprit de décision...

L'amalgame des complémentarités permettra d'atteindre un point d'équilibre mais à la longue le Bélier sera agacé par les tendances « mezza voce » de la Balance. Car il veut des oui et des non précis et non des moyens termes et des moderato cantabile même s'ils sont prétexte à des déclarations de paix.

La Balance et le Taureau

Le Taureau « consomme » en amour, tandis que la Balance déguste et se sustente. Le Taureau a des fringales amoureuses, il aime croquer et mordre à pleines dents dans toutes les jouissances de la vie alors que la Balance, tout en étant parfaitement épicurienne en sensations amoureuses, adore les amuse-gueules et les tête-à-tête tendres plus que ripailleurs. C'est donc dans les menus et les appétits que naîtront les malentendus.

Il y a peu de romantisme dans la gourmandise amoureuse de Monsieur et Madame Taureau : le bien en chair et le palpable sont préférés aux tirades sublimes quant aux états d'âme et de cœur ; or Monsieur et Madame Balance appréciant les mignardises et les friandises accetueuses, ils risquent d'être choqués dans leur sensibilité à fleur de peau et de cœur.

Il est cependant certain que, Vénus se retrouvant dans les deux signes, les dialogues chauds, affectueux et compréhensifs pourront exister. Tout sera dans le dosage intelligent des faims et des soifs de sensations amoureuses.

La Balance et les Gémeaux

L'amour de la Balance occupe tout son esprit et les moindres moments de son existence ; l'amour chez les Gémeaux n'occupe que des instants qui passent, qui coulent et qui reviennent plus tard. Le romantisme est de rigueur chez la

Balance, la fantaisie est prioritaire chez les Gémeaux. Il y aura ainsi des excitations et des désaccords fatigants qui se suivront et que n'apprécieront pas Monsieur et Madame Balance qui aiment leur tranquillité et leur sécurité. La Balance ne souhaitera pas s'enivrer d'amour, or le partenaire Gémeaux, tellement riche d'une sensibilité vibrante et d'une mobilité capricieuse, ne saura que lui apporter des « alcools » émouvants, capiteux, généreux de mille fantaisies.

La Balance aime l'amour tel que Shakespeare le fait dire à Juliette : « ... une fumée faite de la vapeur des soupirs... » ; il y a, dans cette poétique approche, du romantisme, de l'imagination, de la mélancolie, mais aussi des silences qui parlent de volupté. Dans une certaine mesure — les deux signes étant d'air — cette définition pourra rapprocher la Balance et les Gémeaux puisque des dialogues intelligents, spirituels et sensibles s'instaureront ; mais la Balance ressentira un manque de caresses et d'achèvement sensuel. Enfin, les rapports seront érotisés et artistiquement sexualisés mais trop fugaces pour les exigences de stabilité de la Balance.

La Balance et le Cancer

« J'aime aimer » dit la Balance.

« Moi j'aime être aimé » répond le Cancer.

Et inversement. C'est ainsi que les deux signes s'entendront parfaitement bien ; ils parleront d'amour, seront sensibles aux moindres caresses et vibreront aux mêmes ambiances. Peut-être manquera-t-il une énergie latente pour prendre des décisions ou un dynamisme original pour entreprendre des créations, l'un et l'autre attendant que chacun prenne quelque initiative.

La Balance sera parfois agacée par les difficultés de son partenaire Cancer à sortir de son cocon, mais ce dernier pourra reprocher à sa Balance de trop tergiverser à l'occasion de certaines prises de positions.

« Aimer, ce n'est pas se regarder l'un l'autre, c'est regarder ensemble dans la même direction. » Ce conseil de Saint-Exupéry convient parfaitement au couple Balance/Cancer, qui aura effectivement tendance à vivre dans un confort présent et égoïste et à ressasser quelques indécisions en se regardant vivre certes amoureusement, mais comme en un miroir. Balance et Cancer s'aimant revivront les amours de Narcisse et de la nymphe Echo : « J'aime, j'aime, j'aime... »

La Balance et le Lion

Des traits communs les attireront : notamment le goût pour l'esthétique, des soucis de beau et de raffiné et des exigences de récréations amoureuses. L'un et l'autre seront heureux de pouvoir s'apporter une moisson de tendresses souriantes. Monsieur Balance risquera cependant d'agacer sa partenaire Lion par des comportements trop bienveillants et trop modérés ; Madame Lion, aimant sans mesure, n'appréciera pas la philosophie affectueuse de son partenaire Balance à base de docilité et de générosité quelquefois éparpillée, et de plus ses affectueuses hésitations la contrarieront. Par contre si Madame est Balance et Monsieur Lion, ce dernier, souhaitant de l'amour et de la sensualité à la une à chaque instant de sa vie quotidienne, sera ravi d'être dorloté par son épouse et amante Balance.

D'autre part Madame Balance, amoureuse de tout ce qui est beau, élégant et sécurisant, ne pourra qu'aimer deux fois son mari et amant Lion, puisque ce dernier est capable de lui apporter des sentiments tels qu'elle les espère : dorés sur tranche, chauds et patelins, romantiques et parfois lyriques.

Il y aura du Soleil dans l'amour de ces deux signes.

La Balance et la Vierge

Une entente pourra naître, basée sur des concepts de raison et d'intelligence plus que sur des sentiments passionnels. La Vierge a trop souvent peur de se laisser entraîner dans des charades amoureuses dont elle ne comprend pas les combinaisons, d'où ses craintes de tout ce qui peut devenir « grand amour » ; or la Balance ne vit que pour et par l'amour, d'où un dilemme qui n'échappera pas à la Vierge et qu'elle s'efforcera de mettre en équation.

Il est certain que Monsieur Vierge sera parfois dérangé, voire agacé par les onctuosités affectives de sa partenaire Balance, tout en les appréciant dans l'intimité. Par contre

Madame Vierge souhaitera que son partenaire Balance, trop souvent avide de quelques câlineries, se modère. Cependant une excellente association d'affaires et de cœur peut être réalisée par la communion de ces deux signes car la Vierge et la Balance pourront s'aimer à travers de grandes et belles entreprises sans se déranger mutuellement puisque chacun usera ses prédispositions dans un but commun. Cette rencontre Balance/Vierge ressemblera, au fil des ans et le cap des habitudes affectives atteint, à une société en nom collectif, une société de secours mutuel, une sorte de trade-union sentimental.

La Balance et la Balance

A trop vouloir s'aimer entre eux, les Balances se créeront un espace soyeux à souhait, confit de dévotion mutuelle mais peu résistant ; chacun étant toujours prêt à faire plaisir à l'autre, en se sacrifiant et en cédant éventuellement à ses caprices.

Les indécisions seront prises de concert et les hésitations seront considérées d'un commun accord. Leur vie amoureuse se déroulera comme un roman-photo où le pathos fera des boursouflures et où le badin se doublera de langueurs. Ils vivront, dans le circuit fermé de leurs mille attentions, égoïstes à deux, artistes et sensuels pour quatre, parfaitement heureux puisque dans une harmonie de cœur, d'esprit et de corps.

Mais peut-être, dans leur duo d'amour, les deux Balances ne sont-ils épris que de l'idée de l'amour que chacun représente ; de plus, comme ils ont tous les deux les mêmes soucis d'esthétique et les mêmes souhaits de rencontrer « l'art » dans toute chose, il s'aimeront comme on aime un tableau, une sculpture, un chef-d'œuvre.

Plagiant la pensée de La Rochefoucault : « Il y a des gens qui n'auraient jamais été amoureux s'ils n'avaient pas entendu parler de l'amour », mais en l'inversant au profit des Balances on pourrait dire : « Il y a des gens — deux Balances entre elles — qui sont toujours amoureux même s'ils n'ont pas entendu parler de l'amour ! »

La Balance et le Scorpion

Leurs sentiments seront chauds et sensualisés ; peut-être seront-ils exténuants ! La Balance est romantique, elle a le cœur sur la main et est trop souvent conciliante et tolérante quant à ses tendresses.

Or le Scorpion n'est pas toujours facile à comprendre et à vivre avec ses passions au goût de soufre et ses absolus en toutes choses. L'amour a tendance à tuer l'amour chez le Scorpion aux forces profondes et puissantes, qui aime aller jusqu'aux enfers de ses sentiments et de ceux des autres. Et la Balance, tout à ses équilibres et à ses justes milieux, qui n'aime pas souffrir d'une manière générale et en particulier en amour, tentera de fuir vers d'autres cœurs aux palpitations plus reposantes. Si la Balance arrive à sortir de ses hésitations et de ses indécisions, ce qui n'est pas certain, elle aura la vie sauve ! Mais s'il ne lui est pas possible de se désengluer des attractions scorpionesques, elle finira ses jours, aimée à mort, mais meurtrie et épuisée.

La Balance et le Sagittaire

Lorsque la Balance vacille sous le charme d'un Sagittaire, des harmonies en tous genres se rejoignent. Leur contrat sera un traité de paix et une démobilisation de toutes agressivités et de toutes impétuosités. Ils s'entendront merveilleusement pour s'apporter les mille et une attentions qui comblent les instants d'une vie de couple.

Un danger peut guetter leur béatitude : l'ennui de s'entendre trop bien. Un amour ne résiste pas aux uniformités, surtout quand elles sont au beau fixe ; les sentiments se doivent, pour résister, d'être pimentés de quelques joutes amoureuses. Or les deux signes, vivant au même diapason affectif, se laisseront pousser vers les mêmes rivages où les eaux sont calmes, résignées, impassibles comme le fleuve du poète.

Les deux signes ayant les mêmes goûts, les mêmes rythmes de vie et les mêmes espérances d'absolu amoureux, s'entendront également fort bien pour mener à bonne fin quelques travaux communs ; en plus des sentiments tendres, ils se retrouveront souvent d'accord pour œuvrer pour de belles causes où la générosité ne sera pas oubliée.

La Balance et le Capricorne

Les dialogues Vénus/Saturne, s'ils peuvent satisfaire Saturne le ténébreux en érotisant ses trop raisonnables sentiments, ne plairont guère à la Balance. Elle les trouvera chagrins, ennuyeux et empreints d'une solennité certes respectable mais dénuée du romantisme qu'elle apprécie tant. Les mains dans les mains, les yeux dans les yeux qu'affectionne la Balance seront souvent sphynx tant le Capricorne use de ses pudeurs avec générosité. Il est certain que la sagesse capricornienne calmera les enthousiasmes vénusiens de la Balance, en approfondissant les vrais sentiments tout en éliminant ceux qui peuvent être gélatineux de tendresse au gré du Capricorne. Mais la Balance a besoin de se sentir aimée, qu'on le lui dise ; elle a besoin de mots, de regards, de silences parlant d'amour... Cette rencontre sera la rencontre de l'amour dit et de l'amour tu.

La Balance et le Verseau

La Balance aime qu'on lui parle d'amour. Le Verseau lui inventera des mots qui la feront rêver et la Balance aimera cela ! Ils se retrouveront dans des dialogues sortilèges où le palpable côtoiera l'irréel. Les sensations qu'apprécie la Balance seront mobiles de toutes les imaginations dont le Verseau a le secret. Si Monsieur est Verseau et Madame Balance, l'accord se fera encore plus complet car, soucieuse de plaire et de plaire encore, elle sera tolérante avec les distractions de toutes couleurs et de toutes formes de son partenaire Verseau. Elle supportera ses contradictions et calmera ses inquiétudes d'un baume vénusien.

L'ombre d'une mésentente naîtra des exigences affectives de la Balance que le ou la partenaire Verseau ne pourra assumer pour cause de chimères. Souvent ailleurs du présent, très près de tous les azurs qui invitent aux féeries, le Verseau oubliera parfois qu'il existe. Or la Balance n'aime pas du tout se sentir délaissée surtout lorsqu'elle a accepté le principe d'un couple où l'amour-tendresse est roi.

La Balance et le Poisson

Il y aura de l'ambiguïté dans leurs rapports. L'amour est une denrée comestible pour la Balance tandis qu'il est une substance subtile, indéfinissable et parfois inquiétante pour le Poisson.

Leurs dialogues seront poétiques mais peu digitaux pour la Balance dont la planète Vénus a des appétits de formes et de volumes. Le Poisson est, par son élément eau, un signe ondoyant tout en arabesques horizontales tandis que la Balance, par son élément air, est un signe stable tout en linéaire vertical ; comment pourront-ils se rencontrer ?

Ils s'aimeront avec angoisse, sachant qu'ils éprouvent des sentiments puissants sans qu'ils puissent toujours trouver les mots pour le dire. S'ils dépassent le cap de ces mésententes « linguistiques », ils peuvent atteindre un stade d'amour absolu, une fusion quasi magique des esprits, et une harmonie affective parfaite en tendresse, en esthétique, en clairvoyance des désirs de chacun.

La santé de la Balance

Il existe des maladies qui ne se déclarent qu'à certains moments du cycle des saisons ; d'autres suivent les rythmes de la lune ; mais toutes sont sensibles à « l'horloge interne » qui obéit à des régulateurs externes. Ce sont l'alternance du jour et de la nuit, les contrastes entre les périodes chaudes et froides, les « moments » de la journée, notamment, le lever et le coucher du Soleil...

La Balance, étant « une partie de l'univers » suit les fluctuations de tout ce qui est rythme et cycle solaire. Les médecines faisant intervenir les concepts « d'énergie cosmique » et tenant compte des « moments astrologiques » seront très bénéfiques pour le psychisme et le physique de la Balance. Ainsi sont l'*acupuncture* et l'*homéopathie*.

• **Les points d'acupuncture*** privilégiés de la Balance peuvent être :

○ *Pour les difficultés à se décider*
Le point 6 (Nei Koan) du méridien du Maître du Cœur (CheouTsiue Inn).

Ce méridien part du thorax, près de l'aisselle et va jusqu'au troisième doigt en passant par la face antérieure du membre supérieur. 9 points sont répartis sur ce trajet.

○ *Pour les faiblesses de la volonté*
Le point 7 (Fou Leou) du méridien du Rein (Tsou Chao Inn).

Ce méridien part de la plante du pied et va jusqu'au creux sous-claviculaire en passant par la face antérieure de la jambe et de la cuisse, et la face antérieure de l'abdomen et du thorax. 27 points sont répartis sur ce trajet.

○ *Pour des problèmes d'excitation et d'agressivité*
Le point 20 (Fong Tchre) du méridien de la Vésicule Biliaire (Tsou Chao Yang).

Ce méridien part de l'angle externe de l'œil et va jusqu'au quatrième orteil en passant sur la face latérale du crâne, le bord postérieur du corps, en une ligne en zig-zag. 44 points sont répartis sur ce trajet.

○ *Pour des problèmes d'angoisse*
Le point 9 (Chao Tchrong) du Méridien du Cœur (Cheou Chao Inn).

Ce méridien part de l'aisselle et va jusqu'à l'extrémité du petit doigt en passant par le bord interne du membre supérieur. 9 points sont répartis sur ce trajet. Le point 9 a le nom français de "moindre assaut".

• **Les remèdes homéopathiques** privilégiés de la Balance : des fleurs, des fruits, des poussières métalliques...

Le remède miracle de la Balance est une renoncule appelée Fleur de Pâques ou Coquelourde, parce que la fleur trop lourde fait pencher la tige, ou encore Anémone pulsatille, d'où son nom homéopathique : Pulsatilla.

La Balance, sensible comme les fleurs de printemps,

* Pour davantage d'explications, consultez le *Guide pratique de l'acupuncture à l'acupressing*, du Dr Gheorghii Grigorieff (Marabout Service n° 422).

toujours à la recherche d'un point d'équilibre, trouvera avec Pulsatilla une paix reposante.

La Balance souffre souvent d'être au milieu de deux volontés opposées. Des impulsions contradictoires l'animent et elle se conduit alors d'une manière anachronique. Il fallait trouver un remède possédant ce préfixe « ana » qui exprime les changements, les renversements, les confusions de bas en haut et de droite à gauche. C'est ainsi que furent choisies les noix de cajou, dont le nom savant, inspiré du grec, illustre très bien les soubresauts cardiaques que ses amandes peuvent faire naître ; l'anacardier puisque tel est son nom (*anacardium orientale*) a le pouvoir de rendre agréable, de calmer les humeurs contraires, de rendre la mémoire et d'améliorer les états mentaux.

La Balance parfois trop lente à se mouvoir, à mettre en route, à comprendre trouvera avec *Baryta Carbonica* des ressorts nouveaux. Ce métal blanchâtre lourd — d'où son nom né du grec *barus* = pesant — permettra à la Balance de faire acte de confiance en soi, de prendre des décisions, de ne pas oublier qu'elle existe...

Enfin le meilleur moyen pour qu'une Balance puisse « phosphorer », soit d'être intelligente en tout, d'être capable de réunir deux idées ensemble, d'avoir la parole facile, de trouver le mot juste, de se souvenir sans fatigue de toute chose... est d'avaler cette substance qui brûle, ronge et détruit : de l'acide phosphorique (*Phosphoricum acidum*).

La Balance et l'ascendant

Le point ascendant : la ponctuation de l'Astrologie

Pendant son voyage le long de sa trajectoire (qui a un nom : écliptique), le Soleil, à la vitesse d'un degré par jour, rend visite à chacun des douze signes du Zodiaque.

C'est ainsi qu'est appelé point ascendant en Astrologie, le point de rencontre de la ligne d'horizon avec l'un des douze signes qui se suivent dans le ruban zodiacal.

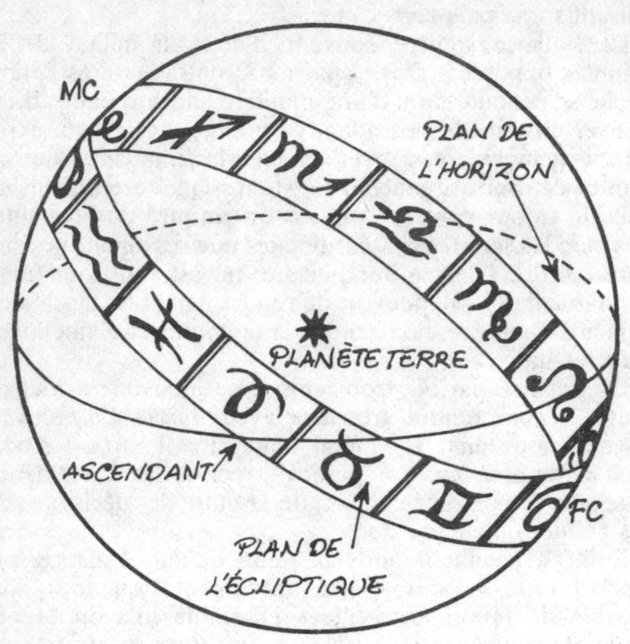

Rôle du point ascendant : être plus précis, plus vrai...

La connaissance d'un signe ascendant est pour un astrologue ce que la découverte des tendances profondes d'une personnalité est pour un psychologue.

Une comparaison peut être établie entre les travaux d'un astrologue dressant un thème de naissance et ceux d'un psychologue rédigeant le portrait d'un caractère. Les outils de travail ne sont certes pas les mêmes mais les motivations sont identiques : atteindre une connaissance de soi (ou des autres) « en profondeur ».

De la même manière qu'il est impossible de dissocier le conscient de l'inconscient au sein d'une personnalité, il apparaît impensable d'oublier l'ascendant dans la rédaction d'un portrait astrologique.

Lorsque les douze types astrologiques sont trouvés (Bélier, Taureau, Gémeaux, Cancer...), il est facile de brosser un portrait à vif d'une personne : les repères astrologiques sont connus de tout le monde, car tout le monde « fait » de l'astrologie sans en avoir l'air, de la même manière que Monsieur Jourdain faisait de la prose sans le savoir.

Qui n'affirme pas en trouvant des excuses à son impulsivité : « Pardonne-moi, mais je suis un Bélier ! » Qui, pour excuser une épouse jalouse, ne déclare pas : « Vous savez, elle est Scorpion ! »

Cette Astrologie de salon est aimable et souriante. Mais tout devient plus exigeant si on veut aller plus loin. Lorsque le point de départ , soit le signe de naissance, est donné, il convient de le combiner avec le point d'ascendant afin que dans un ouvrage de synthèse, la totalité de la personnalité puisse être saisie.

Une constatation...

Un Balance pur n'existe pas. En effet, il y a toujours un ascendant quelque part dans le ciel de naissance d'un Balance. Il semble donc plus passionnant de s'intéresser aux combinaisons que peuvent faire les signes de naissance avec les signes ascendants, afin d'approcher au plus près de la personnalité Balance dans son ensemble.

Cependant, les « marques » de naissance Balance ont une utilité de références et permettent de dresser un portrait général plus proche d'une caricature que d'un tableau ressemblant avec finesse et précision à une personnalité bien individualisée.

D'autre part, le principe des contraires s'appliquant, il convient de faire une différence entre les Balances-hommes et les Balances-femmes. Ce qui peut être une qualité pour l'un devient parfois un défaut pour l'autre, et inversément. Ainsi la tendance « mobile » qui donne à l'Homme-Balance des arguments de mouvements, d'échanges, de contacts, de progressions qu'il peut utiliser avec brio dans sa vie professionnelle peut très bien, chez une Femme-Balance qui n'a pas l'excuse d'une activité extérieure, engendrer de l'instabilité, de l'inquiétude, et des exigences d'évasions jamais satisfaites.

Sauf exception à la limite du normal, il est rare qu'un être humain soit ou tout à fait positif ou tout à fait négatif. En fait, il possède souvent des tendances qui s'équilibrent et qui ne présentent pas d'exagération ni dans un sens ni dans l'autre. Ainsi la tendance à la communication typiquement Balance, pour rester harmonieuse et ne pas déséquilibrer la personnalité, doit rester en un juste milieu entre l'impulsivité, l'expansivité à outrance et la retenue, l'effacement excessif.

C'est pourquoi les traits de caractère proposés susceptibles d'être noircis par quelques mauvais aspects, peuvent perdre leurs avantages pour devenir des défauts, la loi des contraires s'appliquant encore une fois dans la dualité entre « le bien et le mal ».

Calcul de l'ascendant

Deux observations suffisent pour calculer l'ascendant : l'heure et la date de naissance.

• L'heure de naissance

Sélectionnez l'heure de votre naissance parmi celles qui se trouvent fractionnées de demi-heure en demi-heure sur les tableaux « ascendant ».

Pour faciliter les recherches, huit tableaux ont été dressés délimitant les 24 heures d'une journée complète, soit :

1 — de 0 à 3 h ;	5 — de 12 à 15 h ;
2 — de 3 à 6 h ;	6 — de 15 à 18 h ;
3 — de 6 à 9 h ;	7 — de 18 à 21 h ;
4 — de 9 à 12 h ;	8 — de 21 à 24 h.

Votre heure de naissance se trouve nécessairement dans un

de ces huit tableaux.

• **La date de naissance**
Découvrez, dans les périodes, votre date de naissance en jour et en mois.

Ces périodes se trouvent inscrites dans des cases situées sous l'heure de naissance choisie.

Ces périodes sont de cinq sortes :
— soit du 23/9 au 30/9, et du 1/10 au 22/10 ;
— soit du 23/9 au 10/10, et du 11/10 au 22/10 ;
— soit du 1/10 au 10/10.

Votre date de naissance (en jour et en mois) se trouve nécessairement dans une de ces périodes.

• **L'ascendant peut alors être trouvé**
L'heure de naissance étant sélectionnée - **H** -, la période — jour et mois — étant trouvée - **D** -, il suffit de suivre la colonne horizontale vers la gauche. Le signe ascendant est indiqué dans la marge gauche du tableau.

Un exemple

Calcul du signe ascendant pour une personne née le 13 octobre 1945 à 1 h. 45 à Paris :
1° L'heure de naissance (1h45 compris entre 1h30 et 2h), **H** sur le tableau ci-dessous ;
2° La date de naissance (13 octobre compris dans la période du 11 au 22 octobre), **D** sur le tableau ci-dessous ;
3° Le signe ascendant se trouve dans la case Vierge **AS.**

Première tranche : 0 à 3 h.

Heure de naissance	0 à 0.30	0.30 à 1	1 à 1.30	1.30 à 2 1H	2 à 2.30	2.30 à 3
CANCER	23.09/30.09					
LION	01.10/22.10	23.09/22.10	23.09/22/10	23.09/10.10	23.09/10.10	23.09/30.09
VIERGE 3AS				11.10/22.10 2D	11.10/22.10	01.10/22.10

Remarque à propos des heures d'été

Il faut tenir compte des heures *d'été* (notamment pour la France). Les heures indiquées dans les tableaux doivent alors être corrigées en fonction des heures d'été éventuelles selon le calendrier ci-dessous.

Ce calendrier n'est valable que pour la France.

Si vous êtes né(e) les années ci-dessous	et pendant la période comprise entre les deux dates		il faut que vous ôtiez, à votre heure de naissance
1916	14 juin	1er octobre	
1917	24 mars	7 octobre	
1918	9 mars	6 octobre	
1919	1er mars	5 octobre	
1920	14 février	25 octobre	
1921	14 mars	25 octobre	
1922	25 mars	7 octobre	
1923	26 mai	6 octobre	
1924	29 mars	4 octobre	
1925	4 avril	3 octobre	
1926	17 avril	2 octobre	
1927	9 avril	1er octobre	
1928	14 avril	6 octobre	Une heure
1929	20 avril	5 octobre	
1930	12 avril	4 octobre	
1931	18 avril	3 octobre	
1932	2 avril	1er octobre	
1933	25 mars	7 octobre	
1934	7 avril	6 octobre	
1935	20 mars	5 octobre	
1936	18 avril	3 octobre	
1937	3 avril	2 octobre	
1938	26 mars	1er octobre	
1939	15 avril	18 novembre	
1940	24 février	14 juin	
1940	15 juin	5 octobre	Deux heures
1941	5 octobre	8 mars 1942	Une heure
1942	9 mars	1er novembre	Deux heures

1942	2 novembre	28 mars 1943	Une heure
1943	29 mars	3 octobre	Deux heures
1943	4 octobre	2 avril 1944	Une heure
1944	3 avril	7 octobre	Deux heures
1944	8 octobre	1er avril 1945	Une heure
1945	2 avril	15 septembre	Deux heures
1945	Depuis le 16 septembre		Une heure

Différence d'heure entre la France et :

● Algérie ● Côte-d'Ivoire ● Guinée ● Niger	● Maroc ● Soudan ● îles Canaries	déduisez une heure
● Belgique ● Luxembourg ● Suisse ● Espagne ● Irlande ● Autriche ● Congo-Brazzaville	● France ● Pays-Bas ● Allemagne (R.F.A.) ● Grande-Bretagne ● Italie ● Zaïre (Ouest) ● République Centrafricaine	même heure
● Grèce ● Israël ● Egypte ● Rwanda	● Turquie ● Liban ● Zaïre (Est) ● Burundi	ajoutez 1 heure
● Japon		ajoutez 8 heures
● Québec ● Ottawa ● New York ● Washington		déduisez 6 heures

Note : certains de ces pays ont également une heure d'hiver.

Première tranche : 0 à 3 h.

Heure de naissance	**0 à 0.30**	**0.30 à 1**	**1 à 1.30**	**1.30 à 2**	**2 à 2.30**	**2.30 à 3**
CANCER	23.09/30.09					
LION	01.10/22.10	23.09/22.10	23.09/22/10	23.09/10.10	23.09/10.10	23.09/30.09
VIERGE				11.10/22.10	11.10/22.10	01.10/22.10

Deuxième tranche : 3 à 6 h.

Heure de naissance	**3 à 3.30**	**3.30 à 4**	**4 à 4.30**	**4.30 à 5**	**5 à 5.30**	**5.30 à 6**
VIERGE	23.09/22.10	23.09/22.10	23.09/22/10	23.09/10.10	23.09/30.09	
BALANCE				11.10/22.10	01.10/22.10	23.09/22.10

Troisième tranche : 6 à 9 h.

Heure de naissance	6 à 6.30	6.30 à 7	7 à 7.30	7.30 à 8	8 à 8.30	8.30 à 9
BALANCE	23.09/22.10	23.09/22.10	23.09/10.10	23.09/30.09	23.09/30.09	
SCORPION			11.10/22.10	01.10/22.10	01.10/22.10	23.09/22.10

Quatrième tranche : 9 à 12 h.

Heure de naissance	9 à 9.30	9.30 à 10	10 à 10.30	10.30 à 11	11 à 11.30	11.30 à 12
SCORPION	23.09/22.10	23.09/22./10	23.09/10.10	23.09/30.09		
SAGITTAIRE			11.10/22.10	01.10/22.10	23.09/22.10	23.09/22.10

Cinquième tranche : 12 à 15 h.

Heure de naissance	12 à 12.30	12.30 à 13	13 à 13.30	13.30 à 14	14 à 14.30	14.30 à 15
SAGITTAIRE	23.09/22.10	23.09/10.10	23.09/30.09			
CAPRICORNE		11.10/22.10	01.10/22.10	23.09/22.10	23.09/10.10	23.09/10.10
VERSEAU					11.10/22.10	11.10/22.10

Sixième tranche : 15 à 18 h.

Heure de naissance	15 à 15.30	15.30 à 16	16 à 16.30	16.30 à 17	17 à 17.30	17.30 à 18
CAPRICORNE	23.09/22.10					
VERSEAU		23.09/10.10	23.09/30.09	23.09/30.09		
POISSON		11.10/22.10	01.10/22.10	01.10/10.10	23.09/30.09	23.09/30.09
BELIER				11.10/22.10	01.10/22.10	01.10/10.10
TAUREAU						11.10/22.10

Septième tranche : 18 à 21 h.

Heure de naissance	18 à 18.30	18.30 à 19	19 à 19.30	19.30 à 20	20 à 20.30	20.30 à 21
BELIER	23.09/30.09	23.09/30.09				
TAUREAU	01.10/22.10	01.10/22.10	23.09/10.10	23.09/30.09		
GEMEAUX			11.10/22.10	01.10/22.10	23.09/22.10	23.09/10.10
CANCER						11.10/22.10

Huitième tranche : 21 à 24 h.

Heure de naissance	21 à 21.30	21.30 à 22	22 à 22.30	22.30 à 23	23 à 23.30	23.30 à 24
GEMEAUX	23.09/10.10	23.09/30.09				
CANCER	11.10/22.10	01.10/22.10	23.09/22.10	23.09/22.10	23.09/10.10	23.09/10.10
LION					11.10/22.10	11.10/22.10

Galerie des Portraits : Balance/ascendants

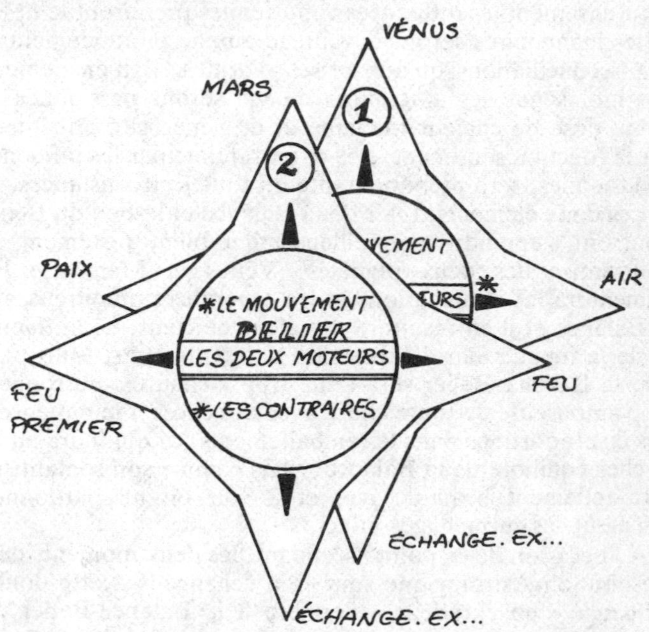

Balance ascendant Bélier

Lorsque Mars apparaît dans une association planétaire, l'esprit est aux enthousiasmes et le cœur aux passions. Il y a de la stratégie dans l'air et des départs en croisades tous azimuts. Mais lorsque Mars rencontre Vénus, la douce et aimante planète de la famille astrologique, et il en est ainsi dans cette chaleureuse combinaison, les grandes manœuvres martiennes sont sous la bannière étoilée des grands sentiments et les déclarations, qui pourraient être de guerre tant Mars est souvent agressif, se font d'amour.

La Balance veut la paix à tout prix et mise ses atouts cœur tandis que le Bélier joue à la petite guerre avec des atouts pique. C'est pourquoi la Balance-Bélier aura fort à faire avec ses états d'âme qui oscilleront entre deux collections de sentiments tolstoïens contraires : la guerre ou la paix. Heureusement les influences vénusiennes prendront le dessus et les manœuvres seront davantage aux accommodements et aux réconciliations qu'aux prises d'armes. Il n'en demeure pas moins que les ambiances de vie seront passionnées, à haute dose de chaleur humaine et de générosité affectueuse car la fonction sentiment, née et entretenue par les influences vénusiennes, sera prépondérante en toutes circonstances.

Les deux éléments, l'Air de la Balance et le Feu du Bélier, pourront s'entendre merveilleusement bien, justement par l'entremise des deux planètes, Vénus et Mars. Le Feu alimentera les imaginations et les espérances amoureuses de la Balance et il en résultera des élans de cœur, de la flamme et de la fougue dans l'expression des sentiments. Mais peut-être la Balance-Bélier sera-t-elle trop « chauffée au rouge », trop amoureuse de toute chose avec des excès d'impatience et des disproportions dans les emballements, ce qui nuira au bel et cher équilibre de la Balance. Mais comme son romantisme sera tellement beau à vivre et à voir on lui pardonnera aisément ses surmenages affectifs.

A l'occasion de ce point ascendant, les deux moments de la Respiration Astrologique sont « en échange » ; cette double influence « en extérieur » donnera à la Balance-Bélier des comportements accueillants et accommodants ; elle souhaitera des contacts, des rencontres, des communications de tous ordres mais ceux-ci devront toujours être plaisants, affectueux et tendres, Vénus donnant d'autorité un ton aimable aux accords et une couleur douce aux sentiments.

La vie intérieure de la Balance-Bélier n'en sera pas pour autant à base de sensiblerie ; au contraire, car elle sera enrichie des multiples expériences puisées « en extérieur ». Les dons artistiques proposés par Vénus, animés par l'Air et entretenus par le Feu trouveront dans la tendance de la Balance-Bélier à vivre extra-muros, des épanouissements exceptionnels ; il n'y aura pas de limite, pas de barrière aux expressions des joies de vivre et d'aimer ; mais en contrepartie la personnalité sera parfois trop facilement emportée vers des horizons trop exceptionnels, trop extraordinaires, donc peu raisonnables et peu supportables pour l'esprit de juste milieu de la Balance.

Le Feu premier du Bélier trouvera des adoucissements avec les dispositions à la paix et à l'équilibre de la Balance. Ses forces instinctives, ses « vouloirs » seront tempérés ; non pas amoindris mais « romantisés », thésaurisés pour un bien-être, un bien-vivre et un bien-aimer que la Balance-Bélier appréciera fort et dont elle fera profiter qui l'aimera et qui elle aimera.

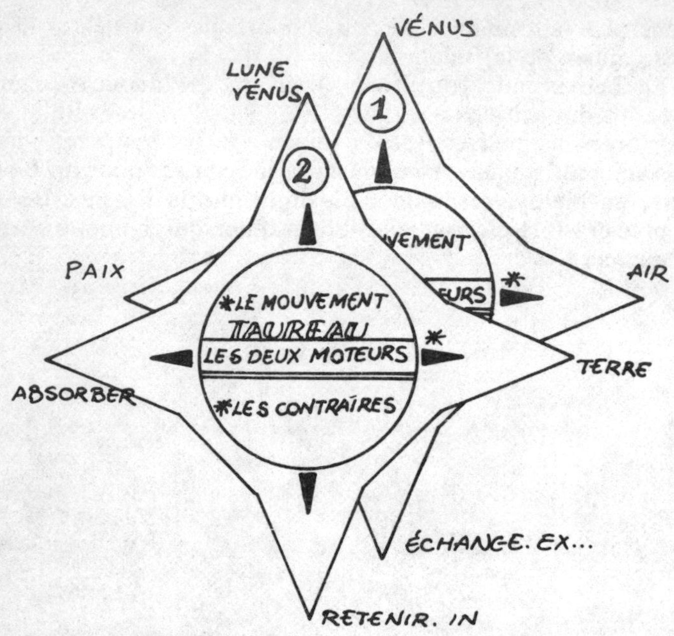

Balance ascendant Taureau

On ne fait pas plus voluptueuse et plus savoureuse à vivre, et bien entenu à aimer, que cette combinaison astrologique deux fois vénusienne. La planète s'aime elle-même et additionne, pêle-mêle, toutes ses qualités, qui peuvent parfois devenir des faiblesses par excès de séduction, de douceur, d'élégance de geste et de pensée... C'est ainsi que la Balance-Taureau sera un modèle du genre dans les domaines de l'esthétique, de la recherche du beau, et du savoir-faire ; le tout sur fond de violons romantiques.

Certes quelques touches d'affectation et d'effusions trop passives et édulcorées se glisseront dans l'harmonie générale car de la sensibilité à la sensiblerie et du sentiment au sentimentalisme, la frange est courte ; mais on pardonnera beaucoup à ceux qui ont tellement d'amour à donner, et qui le donnent si bien. Vénus aime la beauté des gestes qui invitent à la fois à la pulpe de l'amour et à son enveloppe ; voilà pourquoi la Balance-Taureau bénéficiera de qualités certaines dans l'art d'aimer.

Les éléments, l'Air de la Balance et la Terre du Taureau, auront des contacts épidermiques. Les tendances « au toucher et au palpable » de la Terre trouveront des veloutés et du soyeux avec les complicités de Vénus. L'amour au bout des doigts, une sensualité de tous les instants et une émotivité qui parle à la peau et au cœur donneront à la Balance-Taureau un charme visible, concret et fort appréciable. L'amalgame de l'élément Terre et des influences vénusiennes accentuera les dons artistiques notamment pour la sculpture, le dessin, la peinture, la littérature et pour tous les travaux dans lesquels les imaginations amoureuses donnent un galbe aux mouvements et où les formes parlent de volupté. Les sentiments s'exprimeront en tendresse et se patineront en tangibles corps à corps.

Les deux moments de la Respiration Astrologique sont en opposition. Des contrastes naîtront ainsi dans les expressions des états d'âme et de cœur. Les rythmes de vie, dans leurs contrastes, permettront des créations plus intériorisées et la sensibilité s'épanouira dans des moments de recueillement. Le comportement sera tantôt accueillant à toute vie « en extérieur », tantôt silencieux et même secret ; ce déphasage dans les attitudes provoquera parfois des dissonances dans les accords amicaux et amoureux. C'est au niveau de la vie intérieure que cette oscillation sera parfois mal vécue car la Balance-Taureau, toute à ses exigences de sensations et de sentiments, ne pourra pas toujours les satisfaire, étant arrêtée par la tendance « en retenue » de son signe ascendant. Elles risquent alors de se laisser aller à une dépression aux intensités trop passionnelles.

L'alliance des exigences de « paix et d'harmonie » de la Balance avec celle en « absorption » du Taureau est la clé de voûte de la construction Balance-Taureau. Toute la personnalité sera empreinte de « gourmandise » de vie, d'avidité de faire, de créer, de composer, d'aimer, parfois aussi d'accumuler et de se comporter en ogre plutôt qu'en épicurien..., mais cet appétit d'existence ne sera jamais virulent ou outrageant car Vénus invite aux protocoles d'accord et aux rapports apaisants.

Mars, Vénus et les autres seront sous le signe du calumet de la paix dans cette chaude combinaison.

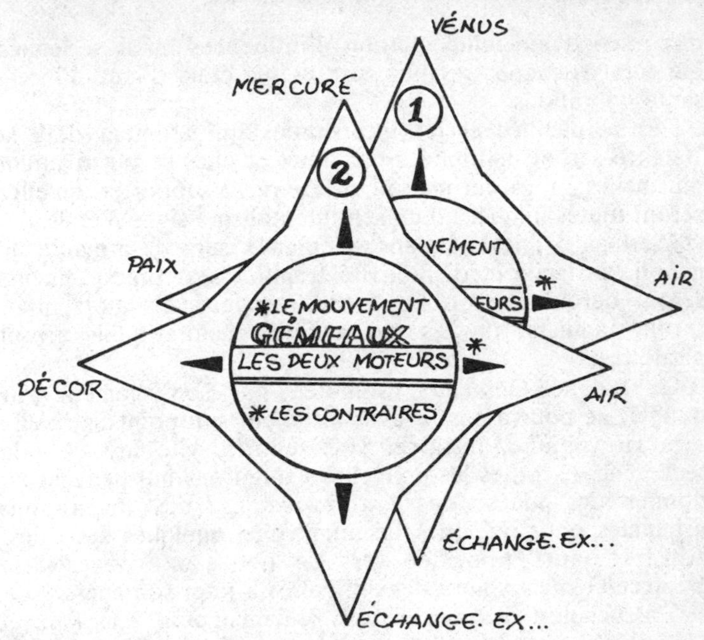

Balance ascendant Gémeaux

Le plaisir de plaire, le plaisir de séduire, telle pourrait être la définition de cette combinaison car Mercure, la planète des Gémeaux, inventera mille et une fantaisies pour que Vénus soit encore plus charmeuse.

La personnalité d'une Balance-Gémeaux sera ondoyante et incertaine à force de curiosité rarement satisfaite. Certes les idées seront foisonnantes, perpétuellement naissantes et fraîches grâce à une Mercure électrique et brillant d'inédits, mais elles seront aussi auréolées par des tendresses que l'on croira sincères mais qui ne seront en réalité que des sentiments instantanés, jaillissants et trop subtils pour être vrais. Vénus et Mercure joueront à se parler d'amour afin de se désennuyer de ne pouvoir aimer comme ils le souhaiteraient. Les tendances à l'indiscipline sentimentale seront accentuées par la connivence des deux éléments Air. La Balance-Gémeaux, déjà fort mobile, se serait très bien dispensée d'une telle addition d'influences aussi aériennes qui fera frissonner ses humeurs et ses états d'âme d'incessantes vibrations.

Les perplexités et les incertitudes qui animent déjà la Balance seront multipliées par deux et elles seront d'autant plus belles à regarder mais peut-être pas à supporter, qu'elles seront toutes nimbées d'un sentimentalisme signé Vénus.

C'est ainsi que la Balance-Gémeaux sera désarmante de gentillesse facile et d'émotivité fragile ; ses comportements seront déroutants, on les pensera superficiels alors qu'ils seront inquiets, on les croira fidèles alors qu'ils seront giratoires.

La Balance-Gémeaux, stimulée par son élément Air doublé, ne pourra pas trouver aisément son point fixe ; elle sera virevoltante, instable, vite séduite, vite lassée, à la recherche de toutes les nouvelles excitations qui peuvent lui donner des idées, des enthousiasmes, des inspirations originales pour quelques instants voire quelques secondes. Ainsi toujours « poussée vers de nouveaux rivages », la Balance-Gémeaux aura des difficultés à jeter son ancre.

L'association des dispositions Balance pour « la Paix et l'Equilibre » et de celles des Gémeaux pour « le décor » donnera à la Balance-Gémeaux des besoins d'esthétique, d'élégance et d'art toute catégorie ; mais non contente de rechercher le raffiné, elle voudra aussi trouver l'harmonie. C'est ainsi que la personnalité Balance-Gémeaux sera certainement celle de l'éventail des signes astrologiques qui sera la plus artistique tant au niveau de l'esprit que des formes et des substances.

Le romantisme vénusien pourra s'exprimer en touches colorées et les souhaits d'accord et d'équilibre pourront s'épanouir dans des ambiances feutrées, douces et belles à vivre.

« L'esprit, dans les grandes affaires, n'est rien sans le cœur » écrit le Cardinal de Retz. Paut-être est-ce là une presque exacte définition de la personnalité Balance-Gémeaux !

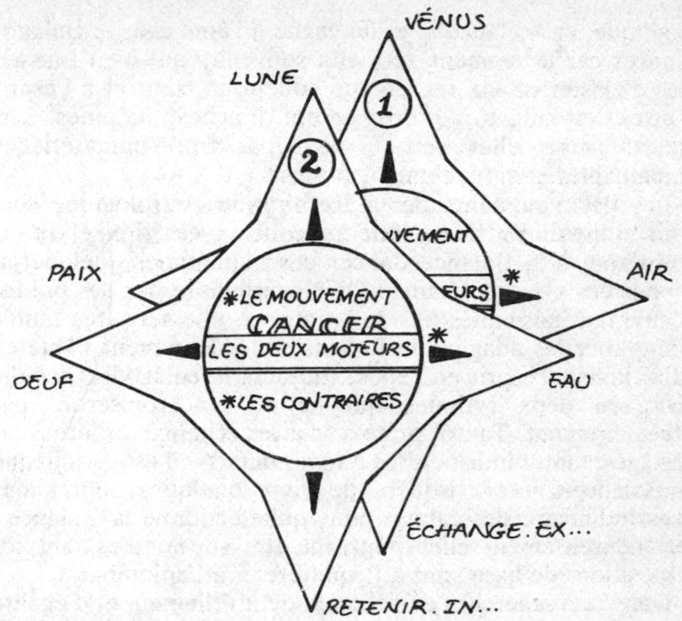

Balance ascendant Cancer

Les deux planètes Vénus et Lune sont faites pour s'entendre, lors de cette entrevue astrologique. Leurs tête-à-tête seront tout de charme, d'imagination et de sensibilité. Il ne faudra cependant pas leur demander de mettre sur pied des réalisations bâties sur le roc ou de faire acte de décisions intrépides, car Vénus est trop affectueuse pour jouer la bravoure et la Lune est trop rêveuse pour être souverainement efficace à temps complet. C'est ainsi que la Balance-Cancer gagne en délicatesse d'esprit et de sentiment et en sensibilité à toutes les vibrations de son inconscient, ce qu'elle perd en dynamisme et force de caractère. Non qu'elle en manque mais il sont affectivés, adoucis, romantisés et lunaires.

Les deux éléments, l'Air de la Balance et l'Eau du Cancer, s'accorderont pour rendre vaporeuses et fluides les composantes du comportement. Il y aura beaucoup d'inspiration poétique, de mélancolie et de vague à l'âme chez le Balance-Cancer car le moment sera aux souvenirs qui n'en finissent pas d'exister et aux regrets qui collent au cœur et à l'esprit. Certes les manières d'être seront fraîches, limpides, sans heurts, mais elles seront aussi par trop immatérielles, impalpables et agréablement futiles.

Les deux moments de la Respiration Astrologique sont « en alternance » dans cette rencontre ; ces flux et reflux donneront à la Balance-Cancer des inquiétudes quelquefois supportées avec souffrance. Déjà sensibilisée par des prédispositions vénusiennes et « lunatiques », elle sera très tentée d'amplifier les adagios de sa sensibilité. Rarement l'âme en paix, jamais l'esprit en repos, toujours le cœur vibrant, elle vivra en deux rythmes qui ne se synchroniseront pas nécessairement. Tantôt prête à tous les échanges et à tous les partages, tantôt indisponible à tous contacts, il est certain que la Balance-Cancer risquera de vivre quelques dépressions dans le linéaire des calmes plats qu'affectionne la Balance ; fort heureusement elles pourront être surmontées tant ses dispositions de base sont à l'équilibre et à l'aplomb.

Dans ses recherches de niveaux, de nivellement et d'égalité et toute à ses souhaits de paix, la Balance accueillera les influences de son ascendant Cancer, illustrées par le symbole « œuf », avec plaisir et sérénité. La rencontre de ces deux marques astrologiques : la « paix » de la Balance et « l'œuf » du Cancer sera favorable à tout ce qui touchera la vie intérieure, le Soi, le noyau familial... de la Balance-Cancer. Ses intérêts personnels feront l'objet de tous ses soins et son sens de la famille sera développé jusqu'au point peut-être d'un excès de centralisation, d'un nombril égoïste et narcissique ; « l'œuf » du Cancer devenant alors un quant-à-soi idéalement paisible et protégé de tout ce qui pourrait troubler sa personnalité.

Et c'est ainsi que la Balance-Cancer s'installera en un « milieu » confortable entre elle et les autres, selon le principe de base « qu'au centre se trouve la paix ».

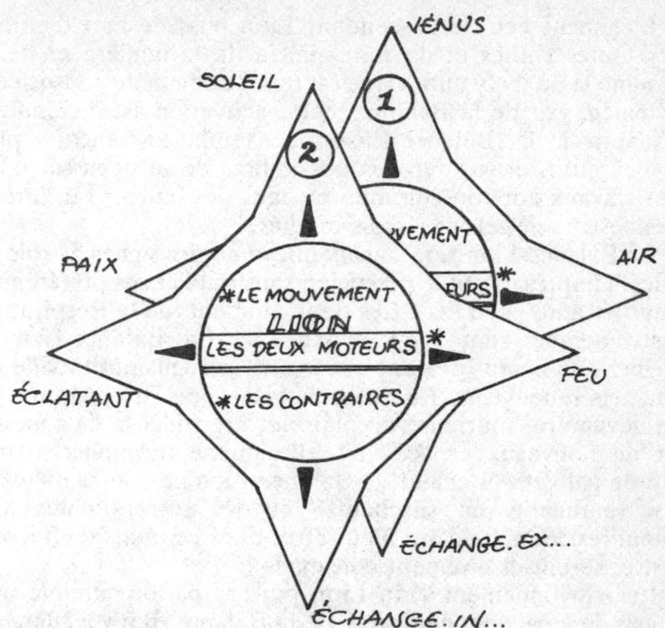

Balance ascendant Lion

L'éloquence au service des grands sentiments, le pathétique et le sublime dans l'expression des passions... le tout enrobé d'enthousiasmes romantiques, de séductions don-juanesques et de rayonnements non exempts de narcissisme. Le Soleil fera très bien les choses en rendant visite à Vénus dans cette coïncidence au sommet !

La Balance-Lion sera belle, généreuse, jamais médiocre, avide de satisfactions sur la qualité et la quantité de ses ambitions et de ses aspirations en tout genre. Heureusement Vénus la bien-aimée, l'amoureuse et l'artiste de la famille planétaire, colorera les excès d'orgueil que se permettra le Lion de sentiments excusables, et fera pardonner ses trop intenses expressions d'extase personnelle par une chaleur humaine inégalable ; mais surtout elle permettra l'éclosion de dons artistiques exceptionnels grâce auxquels les couleurs ensoleillées et les substances solaires se panacheront.

L'élément Feu de l'ascendant Lion possède l'art d'enjoliver toutes choses et de faire naître de la lumière et de la flamme là où il n'y aurait que du reflet et du tiède. Associée à l'élément Air de la Balance, cette activation astro-chimique donnera à la Balance-Lion des tendances encore plus chaleureuses et surtout des possibilités de se dépasser dans des travaux hors du commun et dans des œuvres où l'art et l'esthétique ne seront jamais oubliés.

La Balance-Lion sera l'académicienne des signes astrologiques, l'imprésario et le plasticien sans oublier ses préférences pour les auto-portraits ! Les deux moments de la Respiration Astrologique sont « en échange ». La Balance-Lion y gagnera un comportement extraverti, accueillant et avide de contacts renouvelés. Elle cherchera à vivre en apparence et en devanture, soucieuse de plaire et orgueilleuse de conquérir de nouveaux espaces où elle puisse triompher. Ainsi attisée par cet Air chaud, la Balance-Lion ne pourra qu'avoir des sentiments en surchauffe et des susceptibilités aux moindres courants d'air. Peut-être, dans ces états d'effervescence, seront-ils aisément consumés !

Le « rayonnement » du Lion portera parfois atteinte aux soucis de « paix et équilibre » de la Balance. Il n'y a guère de statique et de juste milieu lorsque les sentiments font l'objet d'extrême exaltation et d'infinis enivrements.

Le Lion aime flamboyer et pétiller de tous ses attributs à dominante solaire tandis que la Balance préfère les quiétudes et le benoît accommodement des justes milieux. Là sera peut-être un problème pour la Balance-Lion qui se sentira parfois débordée par son rythme léonien tout en crescendo alors qu'elle souhaiterait s'installer dans un statu-quo tout en moderato.

Dans ce jeu de quitte ou double, la Balance s'offrira des pâmoisons passionnelles tandis que le Lion se fera doux comme un tigron dompté, soit l'inverse de ce que les natures astrologiques de chaque signe proposent. C'est pourquoi des imprévus, des coups de génie, des aventures et mésaventures où les passions seront mélangées, en surcharge mais toujours merveilleuses à vivre, seront à prévoir dans cette association belle comme un tableau de Gauguin.

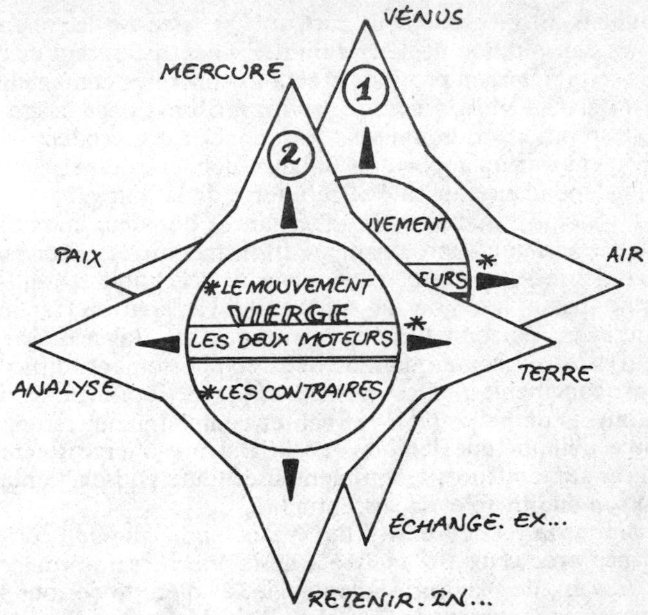

Balance ascendant Vierge

Les causeries Mercure-Vénus ne seront pas quelques jacasseries mondaines mais des tête-à-tête parfaitement étudiés et efficaces. Dans cette combinaison Mercure apporte ses qualités de savoir-faire, son intelligence des mots et des situations, sa lucidité et ses raisonnements ingénieux à une Vénus toute en cœur et toute en sensibilité qui ne demande qu'à écouter quand on lui parle d'amour. Cette rencontre est vraiment celle de la connaissance et de l'amour, et la Balance-Vierge sera, grâce à cette alliance, agissante et romantique, utile et raffinée, pratique et tendre. Cette collaboration planétaire sera pour le profit de la Balance; intéressante et opportune tant elle possède d'atouts de réussite : l'outil et le doigté, la plume et l'inspiration, les mots et une délicatesse d'usage.

Les deux éléments, l'Air de la Balance et la Terre de la Vierge, auront des affinités malgré leur peu de points communs astrologiquement parlant. On retrouve les phénomènes d'inspiration et d'aération des idées et des sentiments mais cette fois-ci au profit de créations concrètes et tangibles.

La Balance-Vierge saura se servir avec brio et bon usage de ses dispositions rationnelles, raisonnables et productrices. L'élément Air qu'apporte la Balance donnera de l'espace et de l'indépendance au côté terre-à-terre de la Vierge.

Des malaises naîtront des alternances des deux moments de la Respiration Astrologique. Parfois très ouverte à une vie « extérieure », altruiste, passionnée et accessible à tout ce qui se passe hors de sa sphère de vie, parfois repliée, renfermée, personnelle outre mesure, la Balance-Vierge souffrira et s'accommodera de deux comportements difficilement conciliables. Des désaccords avec soi-même, des sentiments de ne pouvoir se réaliser complètement seront la source d'inquiétude latente que la Balance-Vierge tolérera mal car ses tendances à sentimentaliser toute chose accentueront son émotivité et sa susceptibilité.

La rencontre des désirs de « paix et harmonie » de la Balance avec ceux « d'analyse » de la Vierge sera propice à des travaux de plaidoirie, d'apologie, et d'étude de tous les moyens susceptibles de favoriser l'implantation d'une vie paisible, confortablement rythmée et millimétrée. Avec de telles aptitudes, la vie professionnelle de la Balance-Vierge sera très bien orchestrée, et des orientations privilégiées seront mises en évidence. Cette occurrence plaide en faveur d'un style de vie bien cadencé mais peut-être trop conventionnel par excès d'examen de toutes les idées et de dissection de tous les sentiments. Voilà le piège : le suraigu dans le plus que parfait et la surenchère dans le trop sentimental peuvent conduire la Balance-Vierge dans des impasses affectives et dans des impossibilités à trouver un juste milieu à la fois simple et esthétique, raisonnable et tendre, juste et bon. Saint Louis sous son chêne devait avoir les mêmes inquiétudes lors de ses lits de justice !

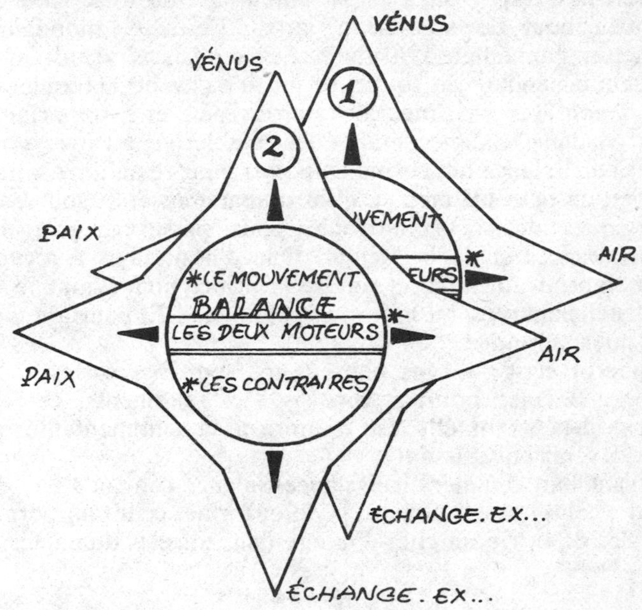

Balance Ascendant Balance

Tout se double dans cette aimable et spirituelle combinaison : les chaudes et affectueuses qualités de la planète Vénus, les bouffées, variations, agitations et autres élasticités de l'élément Air, les besoins « d'échange » de la Respiration Astrologique et enfin les démarches visant à une existence « paisible », équilibrée et conforme à une éthique de concorde et de trêve de cœur. La personnalité d'une Balance-Balance pourrait être définie comme un symbole d'armistice possible dans les querelles des signes ; elle pourrait être illustrée par le tableau du peintre du XVIIIème siècle, Jean Baptiste Pater, « Le Baiser Volé », où des teintes pastel jouent avec des gracieusetés et des marivaudages ; enfin elle pourrait faire l'objet d'un thème musical tel un nocturne de Chopin où des tendresses soliloquent avec des mélancolies nées d'une crainte de mal aimer ou d'être mal aimé.

Bref, la Balance-Balance est amoureuse de tout, indécise jusqu'au bout de son fléau, artiste, esthète, mondaine, coquette, merveilleuse à vivre. Ses tendances vénusiennes risquent cependant de se dilater jusqu'à devenir ampoulées ; ces périphrases sentimentales seront peut-être opportunes pour Madame Balance mais elles sembleront bizarres pour Monsieur Balance qui risque de passer pour ce qu'il n'est pas, tout en ne pouvant être ce qu'il souhaiterait être, soit assez énergique, décisif et efficace pour passer le cap des complaisances et de la facilité. Que d'hésitations à prévoir pour trancher un litige et rendre la justice pour l'homme de loi bénéficiant d'un tel hasard astrologique ! Et pourtant quel don pour la rendre.

Diderot écrit : « Mes pensées, ce sont mes catins ». La Balance-Balance pourrait dire : « Mes sentiments, ce sont mes péchés » tant elle est soumise à sa sentimentalité qui peut devenir envahissante.

Ayant l'art d'aimer, la Balance-Balance connaît l'art tout court ; celui qui est beauté, style et forme, celui qui permet de faire de sa vie un chef-d'œuvre dans tous les domaines.

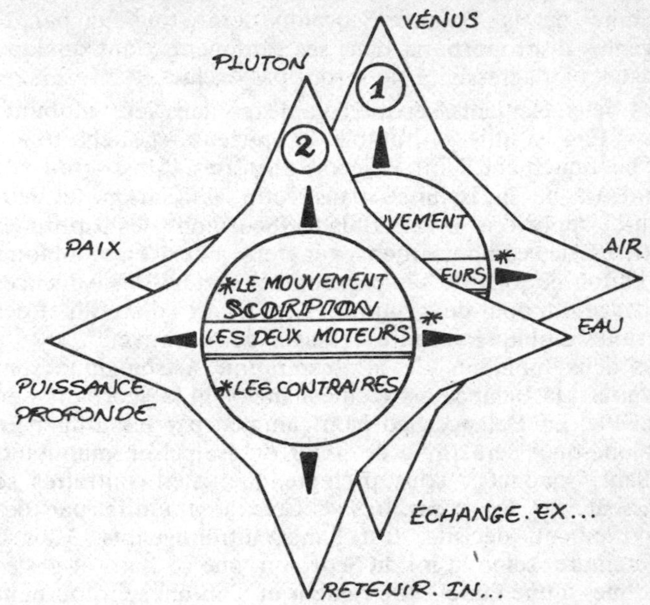

Balance ascendant Scorpion

Dès que le Scorpion apparaît, l'attachante Vénus câline et concertise en duo amoureux, se pare du rouge de la passion selon Saint-Pluton et se prépare à vivre des paroxysmes affectifs parfois difficiles à supporter. C'est pourquoi la Balance-Scorpion risque de connaître les affres des grands sentiments pimentés de jalousie, d'intransigeance et d'ensorcellements passionnels. Les dialogues seront chicaneurs et complexes car Vénus parle de tendresse et choisit des mots qui font plaisir au cœur tandis que Pluton parle d'absolu souvent abrasif et ne craint pas de dire les mots qui griffent. Ce sera ainsi, car le Scorpion a une manière d'aimer qui va jusqu'au sang ! Comment la Balance si reposante dans ses ambiances de juste milieu, dans ses ambitions cotonneuses et dans ses espérances harmoniques, pourra-t-elle résister aux bouillonnements plutoniens ! Des motifs de querelle et d'inquiétude dans les plus petites choses seront à craindre et l'intimité de la Balance-Scorpion sera troublée par de fatigantes disproportions dans ses sentiments dont quelques tendances à l'agressivité ne seront pas exclues.

Les deux éléments seront complexes dans leur mobilité. « Sœur Eau, si utile, si humble, si précieuse et si chaste... » écrit poétiquement Saint François d'Assises. Ainsi sera-t-elle pour l'Air de la Balance dans cette association, et leur entente apportera à la Balance-Scorpion des aptitudes créatrices, des comportements généreux à l'extrême, à moins que Pluton ne joue de ses piquants, et surtout des exigences de voyages au bout de la nuit, des espérances d'absolu et des poursuites d'unique volonté : essayer de se trouver...

Les deux moments de la Respiration Astrologique sont contraires ; la Balance est « en échange » et le Scorpion « en retenue ». La Balance-Scorpion, animée par les influences scorpionesques sera ravie de jouer du scalpel en amputant, cisaillant, sondant... sous prétexte que « les contraires se guérissent par les contraires ». Cela se traduira par des comportements décisifs, tranchants, intransigeants. Mais il faut craindre, selon la loi du Scorpion, que ces faits et gestes conformes à une éthique de rigueur et d'absolu se retournent contre leur auteur.

« La puissance profonde » du Scorpion rencontre « la paix et l'équilibre » de la Balance. Il est certain qu'une telle combinaison d'influences peut être explosive pour la Balance-Scorpion qui se sentira l'âme, l'esprit et le cœur révolutionnaires. Le Scorpion possède l'art du secret et la psychologie des mystères ; ces deux vocations permettront aux souhaits de paix en tout genre de la Balance de s'épanouir en catimini et silencieusement, dans des travaux qui pour être obscurs n'en seront pas moins efficacement beaux.

Quant à l'amour vénusien et aux tendresses de la Balance... ils seront chauffés à la braise des passions du Scorpion ; cela donnera des sentiments volcaniques sur lesquels la Balance-Scorpion, toujours artiste, ne manquera pas de danser !

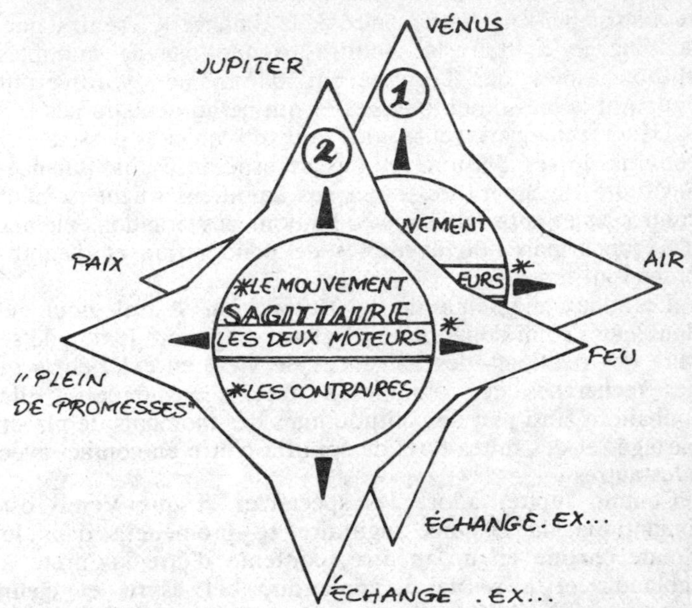

Balance ascendant Sagittaire

Vénus et Jupiter : les deux planètes des harmonies, des joies de vivre et des plaisirs d'aimer ! Lorsqu'elles sont réunies tout va bien dans le meilleur des mondes astrologiques, dont celui de la Balance et du Sagittaire tel que le propose ce point ascendant.

Jupiter se surpasse dans cette combinaison qui pourrait être appelée « les jeux dc l'amour et du bien-être », tant la Balance-Sagittaire peut en tirer des avantages d'aisance, d'équilibre et de résultats paisibles. Le poète Heine résume en quatre vers la définition astrologique de cette rencontre Balance et Sagittaire : « ... ainsi que je suis maintenant, connaître encore une fois l'amour, le bonheur ! Sans vacarme... »

Les deux éléments peuvent s'associer très efficacement dans cette alliance avenante, accorte et fort civile ; en effet le Feu du Sagittaire, énergique, créateur, lyrique à ses heures sera attisé par l'Air bien inspiré de la Balance. C'est ainsi que la Balance-Sagittaire se sentira excitée par de multiples enthousiasmes qui l'étonneront elle-même et forceront l'admiration de son entourage, ce qui ne lui déplaira pas !

Généreuse, partageuse de tout ce qu'elle possède, y compris de ses illusions et de ses espérances, la Balance-Sagittaire rayonnera de toutes ses ambitions soigneusement contrôlées et improvisera avec humour des situations pleines d'à-propos mais non exemptes de pondération et d'équilibrage tout terrain.

Les deux moments de la Respiration Astrologique se doublent, ce qui donnera à la Balance-Sagittaire le don de se faire des relations, des exigences de vie « en extérieur » et des recherches de communion avec « le monde ». Elle souhaitera ainsi peu de solitude mais des moments de plaisir partagés et des fuites hors de soi afin d'être en contact avec « les autres ».

Comme Jupiter adore les spectacles et que Vénus est romantique, la Balance-Sagittaire se promènera dans le monde comme en un théâtre, contente d'être là, prête à applaudir et à se faire applaudir, bel esprit et cœur disponible, à l'affût d'un quelqu'un qui lui permettra d'exister pleinement.

Les souhaits de « paix et équilibre » de la Balance trouveront de quoi rêver avec « le plein de promesses » du Sagittaire ; il n'est pas exclu que cette entente débouche sur des résultats spectaculaires puisque conditionnés par les aptitudes d'équilibre de la Balance et les capacités d'organisateur et de meneur d'idées, d'hommes et de sentiments du Sagittaire.

En conclusion, Jupiter, l'Air et le reste apportent l'aisance, la liberté et le refus d'être esclave. N'est-ce pas là le vœu royal de tout signe ! Et la Balance-Sagittaire semble l'avoir formulé.

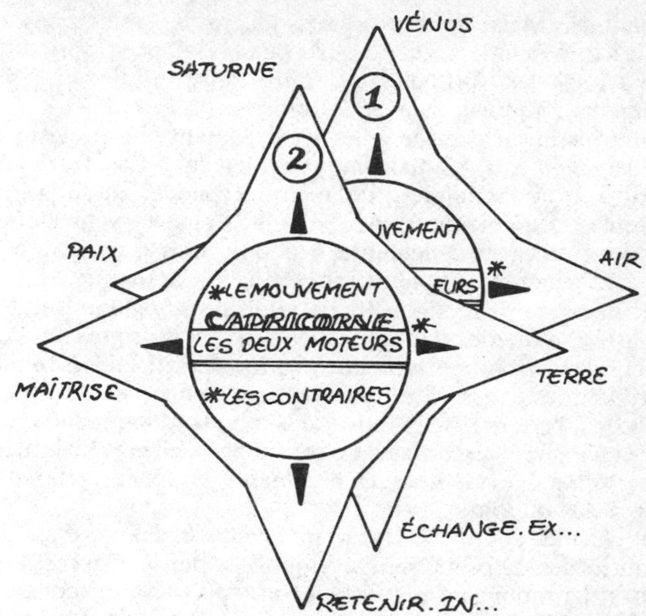

Balance ascendant Capricorne

Saturne a tendance à enfermer dans ses fers plombés, les signes qu'il traverse ; en rencontrant Vénus,il s'amadouera. Mais Saturne et Vénus, quel couple étrange ! L'amour et la sévérité, l'incrédulité affective et la rigueur sentimentale, le chaud et le froid, le plaisir d'aimer et les pudeurs de l'avouer… Et de ces contraires naîtra une Balance-Capricorne adroite, efficace, formelle dans ses décisions et consciente de ses indécisions car capable de se maintenir en un juste milieu entre les excès d'enthousiasmes vénusiens et les réticences saturniennes.

L'art du statu quo, de l'équité et du « in media stat virtus » typiquement Balance, s'harmonisera avec celui du Capricorne qui consiste à savoir être l'ombre, le maître à penser, le régent silencieux et secret de quelque privilégié ; la Balance-Capricorne acquerra de ce pacte bien concerté, des aptitudes diplomatiques, des vocations d'éminence grise et le génie des médiations. Mais comme Vénus jouera les tentatrices et abusera de son luth, il est possible que la Balance-Capricorne ait parfois des difficultés à faire taire totalement ses sentiments ; à moins qu'avec le temps... !

Des réussites exceptionnelles sont d'autant plus prévisibles que les éléments s'amalgament utilement. La Terre du Capricorne ne demandera qu'à être fécondée par le pollen créateur que l'élément Air de la Balance véhiculera ; agissante, efficace, concluante, toujours sous-jacente, affectueuse et généreuse, telle sera la Balance-Capricorne.

Les deux moments de la Respiration Astrologique sont en contraste ; d'où des hauts et des bas, des droites et des gauches dans le comportement ; à la fois sociale et personnelle, confiante et secrète, enthousiaste et prudente... La Balance-Capricorne se sentira des points d'inquiétude au cœur et à l'âme. Ses contacts ne seront pas faciles et malgré sa bonne volonté évidente d'être aimable et tendre, elle n'y arrivera pas toujours.

La clé de voûte de la personnalité résidera dans la rencontre des deux moments symbolisés par les expressions « paix et harmonie » de la Balance et « puissance profonde » du Capricorne. Là sera le creuset des réussites où se fondront toutes les forces profondes et les énergies du Capricorne qui pour être muettes n'en seront pas moins expressives et « parlantes », et les principes de droiture et d'intermédiaire entre le possible et l'impossible dans les réalisations de la Balance. Il y a du Gandhi dans une telle combinaison ; Saturne-martyre-apôtre-ascète et Vénus-mystique-fidèle-béguine.

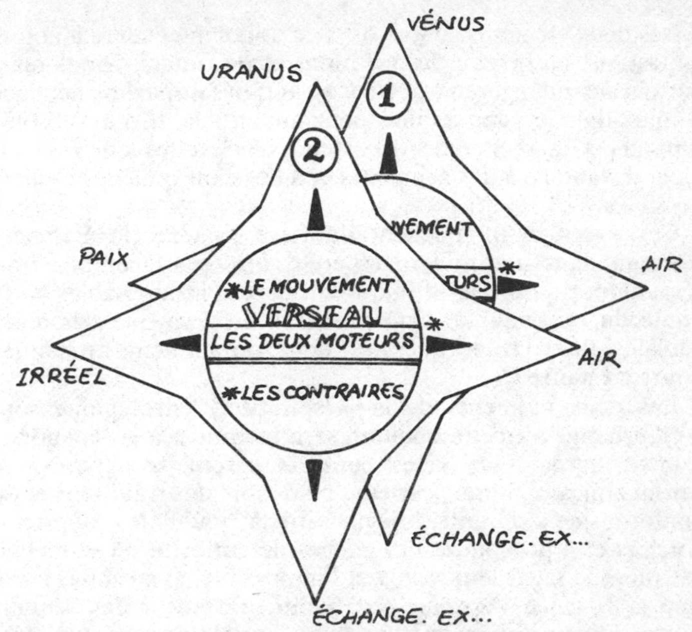

Balance ascendant Verseau

Uranus est l'enfant génial de la famille planétaire, il s'entendra à merveille avec Vénus, l'astre-amoureux, à qui il donnera de l'esprit. Contrairement à ce qu'écrit Monsieur Diderot : « On a dit que l'amour qui ôtait l'esprit à ceux qui en avaient, en donnait à ceux qui n'en avaient pas... », la Balance-Verseau aura et une intelligence subtile, bien inspirée en créations et en ingéniosité, et des capacités affectives fort bien entretenues, sans énigme, ni controverse d'aucune sorte. Ses sentiments seront souvent auréolés d'originalité et elle trouvera des solutions imaginatives à nombre de problèmes.

Les deux planètes n'ayant pas les mêmes vues en ce qui concerne le réalisme et le tangible des choses et des idées, il est possible que la Balance-Verseau oscille entre réaliser ses rêves et ne pas accomplir ses choix concrets. Elle vivra de l'espoir de ses idées.

Les deux éléments sont d'Air ; ce doublement sera à la fois fantastique au niveau des créations et des imaginations mais parfois aussi dangereux ; être trop aérien fait parfois négliger le quotidien et donne une personnalité de rêveur absolu, toujours à la recherche d'existences nouvelles qui ressemblent davantage à des aventures et à des exils qu'à des réalités possibles.

Ces excès d'Air risquent de faire graviter la Balance-Verseau dans une sphère éthérée, susceptible et par trop séraphique, d'où des attitudes curieuses, insaisissables, à la limite du raisonnable. En échange il est vrai que des idées géniales fuseront et que des dons notamment artistiques pourront naître.

Les deux moments de la Respiration Astrologique sont « en échange » : cette addition sera favorable à un épanouissement harmonieux. Des contacts seront recherchés, ils seront amicaux, libres, curieux, en dehors des traditions et du conformisme ; Uranus se plaisant à jouer les apprentis sorciers et à provoquer des péchés de curiosité où se mêlent le vrai et le faux, le possible et l'impossible. Il n'est pas exclu que la Balance-Verseau, peu habituée à sortir des sentiers battus d'un certain raisonnable, hérite de ses envolées quelques crises d'inquiétude. Côtoyer l'exceptionnel n'est pas toujours facile !

Le problème résidera dans la rencontre des souhaits « de paix et d'équilibre » de la Balance avec les dispositions aux « irréalités et aux aventures » du Verseau. Tantôt sage, tantôt insurgée, tantôt philosophe, tantôt rebelle... la Balance-Verseau vivra à deux rythmes pénibles à supporter. Mais heureusement les prédispositions d'intelligence, de tolérance et la présence affectueuse de Vénus permettront de concilier les différents états et les humeurs contradictoires. La Balance-Verseau réalisera ce que Koestler pense impossible à faire : « la synthèse entre le Saint et le Révolutionnaire ».

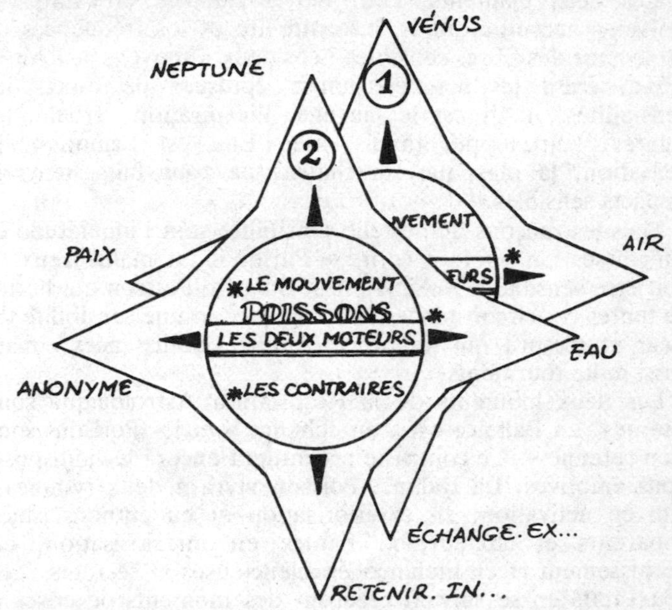

Balance ascendant Poisson

Qu'est-ce qu'un poète ? Une Balance-Poisson. La rencontre des deux planètes Vénus et Neptune est celle des deux « composantes » qui créent la poésie. Vénus apporte les émois du cœur et Neptune la possibilité de les intellectualiser sous forme d'idées originales. Et la Balance-Poisson bénéficiera et du « fond », avec les chants de l'âme et les richesses des passions vénusiennes, et de la « forme », avec les tournures, les procédés, les musiques et les couleurs neptuniennes, pour se créer une vie hors du commun. Artiste, romantique, d'une sensibilité à fleur de cœur et d'esprit, perpétuellement en état de création « poétique », la Balance-Poisson sera difficile à comprendre et pour elle-même et pour son entourage ; on l'aimera pour se sensibilité souffrante, ses enthousiasmes mystiques et mystérieux ; mais qui pourra vraiment la connaître !

Les deux éléments, l'Air de la Balance et l'Eau des Poissons accentueront la susceptibilité et les fréquences de mouvance des fibres sensibles ; ces deux « moyens », l'Air et l'Eau, étant les sources jamais épuisées de toutes les sensibilités ; l'Air est le langage, l'inspiration verbale, les figures, l'enveloppe, tandis que l'Eau est l'émotion, la sensation, la plastique, la chair... de tous faits, œuvres, impacts sensibles.

Mais les rançons d'une telle sensibilité sont l'inquiétude et l'angoisse. Un poète a écrit : « Puisqu'il fut malheureux, il doit être sensible... » Ainsi est la Balance-Poisson qui hérite de toutes ces circonstances astrologiques, d'une sensibilité de cœur et d'esprit qui lui procure mille « jouissances » mais aussi mille tourments.

Les deux moments de la Respiration Astrologique sont alternés. La Balance est « en échange » et les Poissons sont « en retenue ». Ce contraste accentuera encore les indispositions émotives. La Balance-Poisson vivra à deux rythmes ; l'un en activation, en extériorisation et en enthousiasmes apparents et chaleureux, l'autre en intériorisation, en fléchissement et en mélancolies silencieuses et secrètes ; ces deux états en se suivant créeront des moments de crises à tendance dépressive.

Mais la Balance-Poisson ne sera pas à un paradoxe près, car c'est justement dans ces moments de dépression qu'elle sera peut-être géniale. Encore faut-il qu'un juste milieu puisse être trouvé entre la sensibilité bornée et la sensibilité sublime ! Ce qu'elle fera harmonieusement, aidée par les qualités d'équilibre de son signe de base.

Les « marques de fabrique astrologique » des deux signes : « paix et harmonie » de la Balance et « attente et anonymat » des Poissons se fondront pour donner une Balance-Poisson « secondaire ».

Les réactions de la sensibilité se feront en un deuxième temps, avec des références au passé, aux souvenirs, aux espérances, aux futurs... Dans ses attentes et ses souhaits d'équilibre entre : « je veux vivre en paix... » et « je suis en instance de... » la Balance-Poisson risque de s'installer dans un immobilisme raffiné. Hyper-sensible, ultra-sentimentale, délicatement passive, noyée dans un halo de mystères, en contact avec les voix de son inconscient, espérant et ayant l'espoir de ses espérances, elle attendra qu'il se passe quelque chose. Or il se passe toujours quelque chose dans la vie d'une Balance-Poisson, il suffira qu'elle veuille bien saisir les chances qui passent et repassent dans son orbite.

La Table Ronde

de l'Ordre Astrologique

Les planètes

Les planètes et les maisons : « l'Essence et l'Existence ». Les planètes expliquent le « fond » de l'être humain, sa nature intime, son « essence ».

Le signe de la Balance, comme tous les autres signes, a de bonnes et de mauvaises fréquentations avec les planètes. Dans son ciel de naissance, la Balance rencontre le Soleil et les autres : la Lune, Mercure, Vénus, Mars, Jupiter, Saturne, Neptune, Pluton, avec lesquels il se passe toujours quelque chose.

Or chaque planète possède des qualités et des défauts qui « dynamisent » le signe dans lequel elle se trouve ; le rapprochement des deux collections d'influences, celles de la planète et celles du signe, donne des indications précieuses sur la personnalité « en profondeur » d'un individu. Il semble que la vocation d'une planète soit de canaliser dans des domaines précis, élaborés par les traditions astrologiques, les tendances de chaque signe.

Ainsi, prenons l'exemple de la planète Mercure dans le signe de la Balance : Mercure s'intéresse aux « facultés intellectuelles » ; cette planète insuffle aux mots-clés du signe qu'elle traverse, un « oxygène » original, rapide, enthousiaste ; elle anime les qualités et aussi les défauts spécifiques du signe, d'une ardeur, d'un mouvement, d'une excitation vivante et accélérée. Le résultat de la rencontre Mercure/ Balance peut être interprété de la façon suivante :

« ... Vous (le consultant) possédez des qualités certaines d'agilité d'esprit et de souplesse d'adaptation. Elles vous permettent d'aller de l'avant, de trouver des solutions ingénieuses pour réussir vos projets. Vous n'êtes pas sans posséder des atouts de ruse et de diplomatie... »

Les éphémérides

Le jour de la naissance de tout être humain, les planètes ont une place précise dans les différents signes du Zodiaque ; ce domicile est fourni par des éphémérides qui indiquent les positions de chaque planète à chaque instant de chaque jour.

La lecture des *tableaux de positions des planètes* donne les lieux de rendez-vous planètes/signes ; en possession de ces indications, il est possible de découvrir les messages astrologiques que créent chaque planète dans chaque signe.

La carte de visite des planètes

Le Soleil

A tout Seigneur tout honneur, le Soleil est la planète la plus puissante de l'ordre astrologique. C'est elle qui définit le signe de naissance puisque le simple fait de dire : « je suis né sous le signe de la Balance » indique que le Soleil occupait la section du ruban zodiacal contenant la constellation de la Balance, le jour de la naissance.

Tout le monde a donc du Soleil dans son signe !

La position du Soleil est essentielle lors de la rédaction d'un portrait astrologique au niveau de l'analyse des maisons. En effet, les qualités imparties au Soleil sont éminemment positives : **force, énergie, sens des responsabilités, volonté, franchise, générosité,...** et ce sont elles qui accentuent les caractéristiques des maisons. Le quotidien s'élève et le terne prend des couleurs lorsque le Soleil habite une maison « privée ».

Mais le Soleil n'a pas que des qualités. Certes il se lève tous les matins avec une régularité rassurante — il est fidèle dans sa mobilité —, mais il est parfois caché par des éléments dont il n'est pas directement responsable, les nuages par exemple. De plus, selon les saisons, il peut se faire froid ou brûlant.

Ce résumé rapide des humeurs du Soleil justifie des influences qui seront à surveiller, lorsqu'il se trouvera dans les différentes maisons d'un ciel de naissance.

La Lune

Le Soleil est masculin par ses qualités de force, de feu et de rayonnement non exempt de noblesse et de solennité. La Lune est toute **féminine** avec ses halos, ses humeurs nostalgiques, sa passivité nocturne et ses influences sur l'inconscient.

La Lune accentue la sensibilité, l'émotivité, mais aussi l'influençabilité et l'hésitation. Etre lunaire n'est pas méchant mais n'est pas toujours constructif. Autant le Soleil est une source de lumière, un foyer d'énergie et un dispensateur de joie et d'optimisme, autant la Lune, avec ses reflets crépusculaires, ses quartiers et ses demi-lunes, ses couleurs changeantes — elle peut être rousse, blanche, noire — est un ruisseau d'ondes fugitives propices aux songes, aux imaginations et aux intuitions.

Mais l'intuition peut devenir du délire et la charmante « passivité », que l'on accepte volontiers chez une femme, peut se fondre en paresse et en lâcheté.

Mercure

Le dieu Mercure est à la fois le protecteur des marchands et des voleurs ! C'est ainsi que le « mercurien » possède des qualités fort intéressantes d'**habileté,** d'**intelligence** et de **rapidité...** mais aussi les défauts du « beau parleur », du plus que malin et du plus que rusé…

Mercure manque de profondeur sans pour cela être superficiel ; il charme par son aspect jeune et élégant, il s'adapte à tout et lie facilement connaissance. Il aime qu'on l'aime mais comme il est un peu dandy, un peu volage, ses sentiments sont mobiles, lumineux et aériens comme un vol d'oiseaux.

La planète Mercure et le signe des Gémeaux sont liés par des affinités traditionnelles. Qui dit Mercure, dit Gémeaux, car les qualités de souplesse, d'intelligence vive et brillante sont les mêmes. C'est pourquoi, lorsque cette planète rencontre le signe des Gémeaux, une amplification des valeurs du signe s'impose. Mercure se fait « au carré » dans ce signe d'air.

Vénus

Dans le découpage zodiacal des influences planétaires, il y a donc le Soleil qui s'intéresse à l'être humain dans sa totalité et lui donne une « tonalité masculine », puis la Lune qui s'occupe de la sensibilité et de tout ce qui entre dans les qualités mais aussi les inconvénients des valeurs « féminines » ; il y a Mercure qui s'intéresse au plan de « l'intellect », et nous trouvons Vénus qui se passionne pour toutes les histoires de cœur de la personnalité astrologique.

Vénus est, selon la tradition, **belle, aimante, voluptueuse**… Elle aime l'amour, la sensibilité lorsqu'elle est plus palpable qu'intellectuelle, les arts sous toutes ses formes. Elle peut être adorable mais aussi violente, les sentiments amoureux n'ayant pas de limites lorsqu'ils sont chauffés par la passion.

Vénus est à l'aise dans les signes du Taureau et de la Balance ; elle adoucit et assouplit les exigences de l'un tout en lui donnant des dons artistiques ; elle affaiblit, édulcore et fait de la guimauve avec la sensibilité de l'autre tout en le rendant encore plus romantique.

Mars

Le glaive à la main, les yeux d'airain symbolisent le dieu de la guerre Mars. Il n'y a pas de méchanceté dans les influences de Mars, seulement de la **force,** de l'**esprit de décision** et du **courage.** Mais toute qualité pouvant devenir, par excès, un défaut, la fermeté peut se transformer en violence et la virilité typiquement marsienne et brutalité sauvage.

Tout est dans les nuances et dans la manière dont sont reçues les énergies planétaires ; elles peuvent, en ce qui concerne Mars, faire l'objet d'actes autoritaires ou plus simplement de force de caractère.

Jupiter

La planète Jupiter domine toutes les ambiances extérieures de la personnalité. Jupiter est le mondain de la famille planétaire comme Vénus en est la maîtresse et Mars le militaire.

Jupiter a la chance d'avoir été distingué de par sa naissance et de par ses qualités et dignités familiales. Il a l'**esprit mondain,** du **savoir-faire,** de la **bienséance.**

Il est jouisseur élégamment de toutes choses et apprécie l'esthétique des idées et des sentiments.

Il y a un côté paternaliste chez Jupiter ; il aime s'occuper des autres lorsqu'ils ont des problèmes. Jupiter est ainsi un peu apôtre, un peu médecin, assez moderne pour être progressiste, toujours de bon conseil.

Saturne

Autant Jupiter aime sortir dans le monde et profiter des bonnes choses de la vie, autant Saturne est sérieux, silencieux et sévère. Il y a un côté « anti-héros » chez Saturne tellement il veut rester à l'écart des bruits du monde et ne pas se faire remarquer.

Mais Saturne a une puissance redoutable par ses qualités de **patience,** de **réflexion** et d'**honnêteté profonde.** Il ne pense pas, il rumine ; il ne rêve pas, il cogite : il ne dort pas, il pense !

Des qualités aussi développées en profondeur risquent de noircir les caractéristiques du signe dans lequel Saturne entre ; les qualités seront assombries et les défauts seront culpabilisés. La personnalité en deviendra inquiète et rancunière.

Uranus

Uranus est à Jupiter ce que Neptune est à Saturne ; en effet, Uranus apporte un élargissement psychique d'expansion et de communication aux facultés que possède Jupiter, de la même manière que Neptune exagère les dispositions à la prudence, à la réflexion silencieuse et à la vie intérieure qui font le charme secret et étrange de Saturne.

Uranus voit loin... plus loin que le réel, plus loin que le possible. Cette planète apporte aux signes qu'elle traverse des possibilités d'innovation et de métamorphose en « profondeur ».

Uranus est **libre** comme le sont les pensées inconscientes, **original** comme le sont les rêves éveillés, **imprévu** comme le sont les éclairs de l'intuition, **dangereux** enfin comme le sont les visions du tréfonds de l'âme humaine.

Neptune

Neptune est proche symboliquement de Saturne par ses influences sur l'inconscient des êtres.

Mais cette planète va encore plus loin dans les profondeurs de l'âme humaine que le fait Saturne. On pourrait dire que Saturne reste en surface avec ses silences, ses doutes, ses hésitations et ses inquiétudes tandis que Neptune est le microscope, le bistouri, le laser ou le psychanalyste de l'Astrologie, en allant beaucoup plus loin dans la découverte des mobiles, des influences et des mystères de l'inconscient.

Neptune **découvre les mirages, les chimères,** mais prédispose au mysticisme et aux erreurs mentales car on ne passe pas, sans quelque rampe ou protection solide, du plan réel à celui de l'irréel, du domaine du possible à celui de l'impossible.

Pluton

Dieu que cette petite planète a mauvaise réputation ! Elle symbolise les enfers, la noirceur de l'âme humaine, la fange des instincts...

Pluton représente **le doigt du destin, les forces occultes, le hasard à l'état pur...** à moins que cette planète ne soit **l'expression de la justice des dieux,** le « deus ex machina » de tout le système solaire qui rend les sentences selon le code du « bien et du mal ».

Il faut se méfier de Pluton quand on possède des motifs d'avoir peur ; sinon elle préside aux grands bouleversements, aux fantastiques changements de vie que tout être souhaite dans le secret de son âme.

Quelques traits de caractère des planètes essentielles

Lune

Défauts	*Qualités*
arbitraire	accessible
bizarre	accommodant
capricieux	accueillant
changeant	aimable
chimérique	amical
désordonné	attentionné
dispersé	charitable
dissipé	communicatif
distrait	complaisant

effrayé
émotif
enfantin
ennuyé
entêté
étourdi
fantasque
flottant
fragile
frivole
futile
humeurs (des)
impressionnable
inattentif
incertain
inconstant
indécis
indolent
inexact
influençable
ingénu
inquiet
instable
léger
lunatique
mélancolique
monomane
naïf
nonchalant
ondoyant
paresseux
pessimiste
singulier
timide
utopiste
vagabond
vague
vaporeux
versatile
volage

compréhensif
contemplatif
délicat
docile
doux
effacé
fantaisiste
généreux
idéaliste
imaginatif
indulgent
inspiré
intuitif
inventif
maniable
mobile
mondain
obéissant
ouvert
rêveur
romanesque
sensible
sentimental
serviable
souple
subtil
tolérant
tendre
visionnaire

Mercure

Défauts

affecté
affairiste
astucieux (péjoratif)
bassesse (de la)
débrouillard
calculateur
combinard
conspirateur
dégagé
désinvolte
espion
expédient (habile en)
fabulateur
imprévoyant
inquiet
inquisiteur
influençable
intriguant
léger
malin
menteur
resquilleur
roué
rusé

Qualités

actif
adroit
adaptable
agile
aisé
astucieux
avisé
clair
compréhensif
commerçant
coordonné
créatif
cultivé
délicat
diplomate
doigté (du)
émotif
fin
habile
imaginatif
ingénieux
inventif
intelligent (dans un sens large)
jeune (d'esprit, de cœur et dc corps)
littéraire
lucide
nerveux
observateur
organisé
pénétrant
perçant
perspicace

	piquant
	raffiné
	rapide
	savoir-faire (du)
	sensible
	sociable
	spirituel
	spontané
	stratège
	subtil
	souple d'esprit
	tacticien

Mars

Défauts	*Qualités*
acharné	accrocheur
agressif	actif
batailleur	assuré
belliqueux	ardent
bouillant	audacieux
bravache	chevaleresque
brusque	courageux
coléreux	décidé
dur	déterminé
emporté	direct
explosif	droit
guerrier	dynamique
impatient	efficace
implacable	énergique
impulsif	enflammé
indomptable	enthousiaste
irritable	entreprenant
irascible	ferme
obstiné	fervent
offensif	force d'âme et de caractère
rageur	gagneur
sec	

sauvage
têtu
tourmenté
véhément
vindicatif
violent

généreux
hardi
héroïque
maître de soi
martial
nerveux
persévérant
réalisateur
résistant
solide
téméraire
stoïque
sang chaud (le)
sang-froid (du)
tenace
travailleur
viril
volontaire

Vénus

Défauts

affecté
avide de sentiments
cauteleux
coquet
défiant
dolent
don Juan
efféminé
enfant
enjôleur
facile
flirteur
inconsistant
indolent
inerte

Qualités

adaptable
accommodant
affable
affectif
affectueux
agréable
aimable
aimant
altruiste
amoureux
artiste
attirant
avenant
bienveillant
bon
câlin

insouciant
lascif
léger
minaudeur
mou
négligent
nonchalent
paresseux
passif
sensiblerie
sensuel
soumis
vaniteux
vaporeux

caressant
chaleureux
charme
compatissant
conciliant
cordial
délicat
dépendant
dévoué
docile
échange
émotif
épanouissement
érotique
fécond
« féminin »
flexible
gai
galant
généreux
gentil
harmonieux
impressionnable
indulgent
jeune de corps
et de cœur
maniable
obéissant
paisible
passionné
patient
plaisant
poète
romanesque
séduisant
sensible
sensuel
sentimental
sexuel
sociable

Jupiter

Défauts	*Qualités*
ambitieux	actif
arriviste	acteur
comédien	aisance (de l')
critique	ambitieux
dédaigneux	amour propre
dépensier	assurance (de l')
désinvolte	audacieux
dominateur	autorité (de l')
dandy	aventureux
emporté	bon vivant
entêté	brillant
excessif	chaleureux
excentrique	charmeur
exubérant	communicatif
fantasque	confiant en soi
fier	conquérant
impétueux	créateur
intransigeant	démonstratif
obstiné	drôle
orgueilleux	élégant
prétentieux	éloquent
railleur	enthousiaste
susceptible	épicurien
théâtral	entreprenant
tragédien	généreux
tranchant	grand seigneur
tyrannique	humeur (bonne)
vaniteux	humour (de l')
voyant	indépendant
	jouisseur
	joyeux
	libre
	improvisateur
	meneur d'hommes

	optimiste
	organisateur
	ouvert
	populaire
	présence (de la)
	puissant
	savoir-faire
	séduisant
	sociable
	spirituel
	sur de lui
	téméraire
	truculent
	volubile

Saturne

Défauts	*Qualités*
anonyme	appliqué
anxieux	attentif
austère	calme
bougon	concentré
chicaneur	consciencieux
caustique	constant
critique	curieux
distant	discret
flegmatique	économe
froid	effacé
grave	exact
impénétrable	ferme
inquiet	fidèle
intolérant	honnête
introverti	impassible
lent	investigateur
maniaque	méditatif
méfiant	mesuré
mélancolique	méthodique

mondain (pas)
muet
mystérieux
pédant
pessimiste
renfermé, replié
secret
sévère
silencieux
solitaire
taciturne
timide
triste

méticuleux
modeste
patient
persévérant
ponctuel
pondéré
précis
profond
prudent
pudique
réfléchi
réservé
respectueux
retenu
saturnien
scrupuleux
sélectif
sérieux
simple
sobre
solennel
surveille (se)
studieux
systématique
travailleur
vigilant

Pour trouver et associer rapidement les différents symboles du langage astrologique

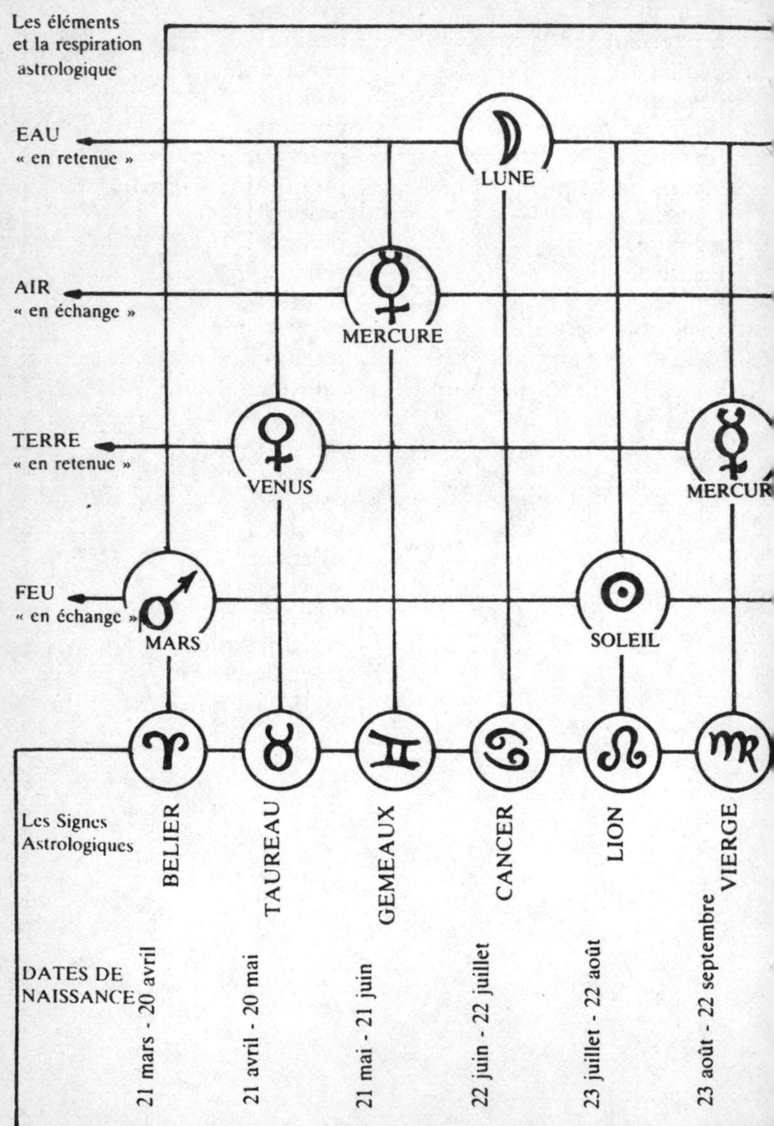

Symboles, figures et alliances des signes du Zodiaque, des planètes des éléments et de la respiration astrologique

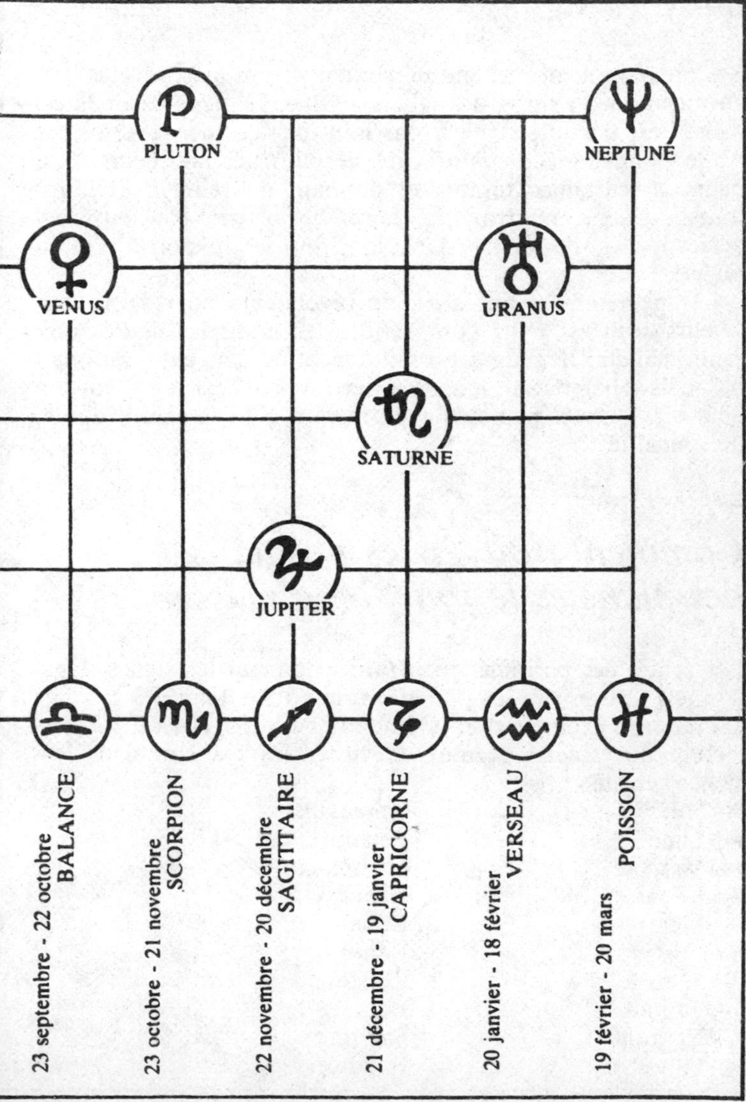

La rencontre des planètes dans les signes

Les premiers secrets d'une personnalité sont ainsi révélés par l'association du signe de naissance avec le signe ascendant, mais il est possible d'aller plus loin dans les découvertes de l'âme humaine en valorisant certains clairs-obscurs, en nuançant certaines teintes et donnant du relief à certains traits, comme pourrait le faire un artiste soucieux de perfection et de vérité dans la peinture du portrait qu'il réalise.

Les planètes servent ainsi de révélateurs pour saisir des valeurs cachées, pour comprendre les multiples degrés qui font que l'être humain est à mille facettes, souvent insaisissable mais tellement attachant à découvrir. C'est pourquoi on peut dire que les planètes s'intéressent à « l'essence » d'une personnalité.

Comment trouver les positions des planètes le jour de la naissance

Les **tables des positions planétaires** donnent les signes dans lesquels se trouvent les planètes à une date donnée.

Prenons l'exemple d'un Gémeaux né le *1er JUIN 1975*. La lecture du tableau permet de situer les planètes dans les signes suivants :

— Soleil	Gémeaux
— Lune	Poisson
— Mercure	Gémeaux
— Vénus	Cancer
— Mars	Bélier
— Jupiter	Bélier
— Saturne	Cancer
— Uranus	Balance
— Neptune	Sagittaire
— Pluton	Balance

	ANNEE 1975																																
		Mois de MAI											Mois de JUIN																				
	JOUR DE NAISSANCE ➧	21	22	23	24	25	26	27	28	29	30	31	1	2	3	4	5	6	7	8	9	10	11	12	13	14	15	16	17	18	19	20	21
PLANETE	SOLEIL	*																GEMEAUX															*
	LUNE	♎	♎	♏	♏	♐	♐	♑	♑	♑	♒	♒	♓	♓	♓	♈	♈	♉	♉	♊	♊	♊	♋	♋	♌	♌	♍	♍	♎	♎	♏	♏	♐
	MERCURE	*																GEMEAUX															*
	VENUS	*						CANCER										*	*						LION								*
	MARS	*																			BELIER												*
	JUPITER	*																	BELIER														*
	SATURNE	*																	CANCER														*
	URANUS	*																	BALANCE														*
	NEPTUNE	*																	SAGITTAIRE														*
	PLUTON	*																	BALANCE														*

(Voir le tableau « illustration ».)

La Lune « bouge » beaucoup, tandis que les autres planètes circulent peu. Astronomiquement parlant, la Lune parcourt un degré zodiacal toutes les deux heures, ce qui explique qu'elle ne reste dans un signe que durant deux jours et demi environ.

Par contre, les autres planètes voyagent beaucoup moins vite, notamment Pluton qui est la plus paresseuse.

Les signes à prendre en considération sont ceux qui se trouvent inscrits entre les deux jours extrêmes, visualisés par une petite étoile (*).

Il est possible qu'une période de 31 jours contienne deux signes. Par exemple, pour l'année 1975, la planète Vénus se trouve dans le signe du Cancer du 22 mai au 6 juin et dans le signe du Lion du 7 juin au 21 juin.

	ANNEE 1910																													
	Mois de SEPTEMBRE								Mois d'OCTOBRE																					
JOUR DE NAISSANCE ➧ / PLANETE	23	24	25	26	27	28	29	30	1	2	3	4	5	6	7	8	9	10	11	12	13	14	15	16	17	18	19	20	21	22
SOLEIL	*													BALANCE																*
LUNE	♉	♊	♊	♋	♋	♌	♌	♍	♍	♍	♎	♎	♏	♏	♏	♐	♐	♑	♑	♑	♒	♒	♓	♓	♈	♈	♉	♉	♊	♊
MERCURE	*	BALANCE			*	1	*						VIERGE							*	*			BALANCE						*
VENUS	*			VIERGE										*	*							BALANCE								*
MARS	*														BALANCE														*	*
JUPITER	*														BALANCE															*
SATURNE	*														TAUREAU															*
URANUS	*														CAPRICORNE															*
NEPTUNE	*														CANCER															*
PLUTON	*														GEMEAUX															*

1 TAUREAU

	ANNEE 1911																														
	Mois de SEPTEMBRE								Mois d'OCTOBRE																						
JOUR DE NAISSANCE ➧	23	24	25	26	27	28	29	30	1	2	3	4	5	6	7	8	9	10	11	12	13	14	15	16	17	18	19	20	21	22
PLANETE: SOLEIL	*													BALANCE																*
LUNE	♎	♎	♏	♏	♐	♐	♐	♑	♑	♒	♒	♒	♓	♓	♈	♈	♉	♉	♊	♊	♊	♋	♋	♌	♌	♍	♍	♎	♎	♏
MERCURE	*				VIERGE									*	*							BALANCE								*
VENUS	*													VIERGE																*
MARS	*													GEMEAUX																*
JUPITER	*													SCORPION																*
SATURNE	*													TAUREAU																*
URANUS	*													CAPRICORNE																*
NEPTUNE	*													CANCER																*
PLUTON	*													GEMEAUX																*

PLANETE	ANNEE 1912																													
	Mois de SEPTEMBRE								Mois d'OCTOBRE																					
JOUR DE NAISSANCE ➧	23	24	25	26	27	28	29	30	1	2	3	4	5	6	7	8	9	10	11	12	13	14	15	16	17	18	19	20	21	22
SOLEIL	*														BALANCE															*
LUNE	♒	♓	♓	♈	♈	♈	♉	♉	♊	♊	♋	♋	♌	♌	♍	♍	♎	♎	♎	♏	♏	♐	♐	♑	♑	♑	♒	♒	♓	♓
MERCURE	*		VIERGE			*	*								BALANCE								*	*		SCORPION				*
VENUS	*			BALANCE				*	*							SCORPION														*
MARS	*															BALANCE														*
JUPITER	*															SAGITTAIRE														*
SATURNE	*															GEMEAUX														*
URANUS	*															CAPRICORNE														*
NEPTUNE	*															CANCER														*
PLUTON	*															CANCER											*	*	1	*

1 GEMEAUX

	ANNEE 1913																													
	Mois de SEPTEMBRE								Mois d'OCTOBRE																					
JOUR DE NAISSANCE ➧	23	24	25	26	27	28	29	30	1	2	3	4	5	6	7	8	9	10	11	12	13	14	15	16	17	18	19	20	21	22
PLANETE: SOLEIL	*														BALANCE															*
LUNE	♊	♋	♋	♌	♌	♍	♍	♎	♎	♏	♏	♐	♐	♑	♑	♒	♒	♒	♓	♓	♈	♈	♈	♉	♉	♊	♊	♊	♋	♋
MERCURE	*				BALANCE											*	*						SCORPION							*
VENUS	*	LION		*	*									VIERGE															*	1
MARS	*														CANCER															*
JUPITER	*														CAPRICORNE															*
SATURNE	*														GEMEAUX															*
URANUS	*														VERSEAU															*
NEPTUNE	*														CANCER															*
PLUTON	*														CANCER															*

1 BALANCE

		ANNEE 1914																												
		Mois de SEPTEMBRE								Mois d'OCTOBRE																					
	JOUR DE NAISSANCE ➧	23	24	25	26	27	28	29	30	1	2	3	4	5	6	7	8	9	10	11	12	13	14	15	16	17	18	19	20	21	22
PLANETE	SOLEIL	*														BALANCE															*
	LUNE	♏	♐	♐	♑	♑	♑	♒	♒	♓	♓	♈	♈	♈	♉	♉	♊	♊	♊	♋	♋	♌	♌	♌	♍	♍	♎	♎	♏	♏	♐
	MERCURE	*			BALANCE						*	*								SCORPION											*
	VENUS	*				SCORPION													*	*						SAGITTAIRE					*
	MARS	*			BALANCE			*	*											SCORPION											*
	JUPITER	*																	VERSEAU												*
	SATURNE	*																	CANCER												*
	URANUS	*																	VERSEAU												*
	NEPTUNE	*			CANCER				*	*									LION												*
	PLUTON	*																	CANCER												*

	ANNEE 1915																													
	Mois de SEPTEMBRE								Mois d'OCTOBRE																					
JOUR DE NAISSANCE ➧ PLANETE	23	24	25	26	27	28	29	30	1	2	3	4	5	6	7	8	9	10	11	12	13	14	15	16	17	18	19	20	21	22
SOLEIL	*														BALANCE															*
LUNE	♈	♈	♈	♉	♉	♊	♊	♊	♋	♋	♌	♌	♌	♍	♍	♎	♎	♏	♏	♐	♐	♑	♑	♒	♒	♓	♓	♓	♈	♈
MERCURE	*		BALANCE			*	*								SCORPION													*	1	*
VENUS	*														BALANCE								*	*		SCORPION				*
MARS	*										CANCER				*	*						LION								*
JUPITER	*														POISSON															*
SATURNE	*														CANCER															*
URANUS	*														VERSEAU															*
NEPTUNE	*														LION															*
PLUTON	*														CANCER															*

1 BALANCE

	ANNEE 1916																													
	Mois de SEPTEMBRE								Mois d'OCTOBRE																					
JOUR DE NAISSANCE ➧	23	24	25	26	27	28	29	30	1	2	3	4	5	6	7	8	9	10	11	12	13	14	15	16	17	18	19	20	21	22
PLANETE SOLEIL	*														BALANCE															*
LUNE	♌	♌	♍	♍	♎	♎	♏	♏	♏	♐	♐	♑	♑	♒	♒	♓	♓	♈	♈	♉	♉	♊	♊	♊	♋	♋	♌	♌	♌	♍
MERCURE	*														BALANCE															*
VENUS	*			BALANCE				*	*			LION			*	*							VIERGE							*
MARS	*														SCORPION															*
JUPITER	*														TAUREAU															*
SATURNE	*														CANCER												*	*	1	*
URANUS	*														VERSEAU															*
NEPTUNE	*														LION															*
PLUTON	*														CANCER															*

1 LION

	ANNEE 1917																													
	Mois de SEPTEMBRE								Mois d'OCTOBRE																					
JOUR DE NAISSANCE ➧	23	24	25	26	27	28	29	30	1	2	3	4	5	6	7	8	9	10	11	12	13	14	15	16	17	18	19	20	21	22
PLANETE: SOLEIL	*														BALANCE															*
LUNE	♐	♑	♑	♒	♒	♓	♓	♈	♈	♉	♉	♉	♊	♊	♋	♋	♌	♌	♌	♍	♍	♎	♎	♎	♏	♏	♐	♐	♑	♑
MERCURE	*	1	1	*	*								BALANCE								*	2	*				VIERGE			*
VENUS	*												BALANCE											*	*		SCORPION			*
MARS	*												CANCER							*	*				LION					*
JUPITER	*															GEMEAUX														*
SATURNE	*														LION															*
URANUS	*															VERSEAU														*
NEPTUNE	*														LION															*
PLUTON	*															CANCER														*

1 VIERGE 2 TAUREAU

PLANETE	ANNEE 1918																													
	Mois de SEPTEMBRE								Mois d'OCTOBRE																					
JOUR DE NAISSANCE ➧	23	24	25	26	27	28	29	30	1	2	3	4	5	6	7	8	9	10	11	12	13	14	15	16	17	18	19	20	21	22
SOLEIL	*														BALANCE															*
LUNE	♉	♉	♊	♊	♋	♋	♌	♌	♌	♍	♍	♎	♎	♎	♏	♏	♐	♐	♐	♑	♑	♒	♒	♓	♓	♈	♈	♉	♉	♊
MERCURE	*			VIERGE							*	*								BALANCE								*	*	1
VENUS	*			VIERGE										*	*						BALANCE									*
MARS	*			SCORPION					*	*								SAGITTAIRE												*
JUPITER	*																CANCER													*
SATURNE	*																LION													*
URANUS	*																VERSEAU													*
NEPTUNE	*																LION													*
PLUTON	*																CANCER													*

1 SCORPION

ANNEE 1919	Mois de SEPTEMBRE								Mois d'OCTOBRE																					
JOUR DE NAISSANCE ➧	23	24	25	26	27	28	29	30	1	2	3	4	5	6	7	8	9	10	11	12	13	14	15	16	17	18	19	20	21	22
PLANETE																														
SOLEIL	*														BALANCE															*
LUNE	♍	♎	♎	♎	♏	♏	♐	♐	♐	♑	♑	♒	♒	♓	♓	♓	♈	♈	♉	♉	♊	♊	♋	♋	♌	♌	♍	♍	♎	♎
MERCURE	*	1	*	*										BALANCE							*	*				SCORPION				*
VENUS	*																	VIERGE												*
MARS	*												LION					*	*					VIERGE						*
JUPITER	*																LION													*
SATURNE	*																VIERGE													*
URANUS	*																VERSEAU													*
NEPTUNE	*																LION													*
PLUTON	*																CANCER													*

1 VIERGE

		ANNEE 1920																													
		Mois de SEPTEMBRE								Mois d'OCTOBRE																					
	JOUR DE NAISSANCE ➧	23	24	25	26	27	28	29	30	1	2	3	4	5	6	7	8	9	10	11	12	13	14	15	16	17	18	19	20	21	22
PLANETE	SOLEIL	*														BALANCE															*
	LUNE	♒	♒	♓	♓	♓	♈	♈	♉	♉	♊	♊	♋	♋	♌	♌	♍	♍	♍	♎	♎	♏	♏	♐	♐	♐	♑	♑	♒	♒	♒
	MERCURE	*			BALANCE									*	*							SCORPION									*
	VENUS	*			BALANCE			*	*									SCORPION													*
	MARS	*														SAGITTAIRE											*	*	1	1	*
	JUPITER	*														VIERGE															*
	SATURNE	*														VIERGE															*
	URANUS	*														POISSON															*
	NEPTUNE	*														LION															*
	PLUTON	*														CANCER															*

1 CAPRICORNE

	ANNEE 1921																													
	Mois de SEPTEMBRE								Mois d'OCTOBRE																					
JOUR DE NAISSANCE ➧	23	24	25	26	27	28	29	30	1	2	3	4	5	6	7	8	9	10	11	12	13	14	15	16	17	18	19	20	21	22
PLANETE																														
SOLEIL	*														BALANCE															*
LUNE	♊	♊	♋	♋	♌	♌	♍	♍	♎	♎	♏	♏	♐	♐	♐	♑	♑	♒	♒	♒	♓	♓	♈	♈	♈	♉	♉	♊	♊	♋
MERCURE	*		BALANCE				*	*							SCORPION															*
VENUS	*	LION		*	*										VIERGE													*	*	1
MARS	*														VIERGE															*
JUPITER	*				VIERGE			*	*						BALANCE															*
SATURNE	*											VIERGE					*	*					BALANCE							*
URANUS	*														POISSON															*
NEPTUNE	*														LION															*
PLUTON	*														CANCER															*

1 BALANCE

	ANNEE 1922																													
	Mois de SEPTEMBRE								Mois d'OCTOBRE																					
JOUR DE NAISSANCE ➧	23	24	25	26	27	28	29	30	1	2	3	4	5	6	7	8	9	10	11	12	13	14	15	16	17	18	19	20	21	22
PLANETE SOLEIL	*														BALANCE															*
LUNE	♏	♏	♐	♐	♐	♑	♑	♒	♒	♓	♓	♓	♈	♈	♈	♉	♉	♊	♊	♋	♋	♋	♌	♌	♍	♍	♎	♎	♏	♏
MERCURE	*			BALANCE					*	*	1	*	*								BALANCE									*
VENUS	*											SCORPION						*	*						SAGITTAIRE					*
MARS	*															CAPRICORNE														*
JUPITER	*														BALANCE															*
SATURNE	*														BALANCE															*
URANUS	*														POISSON															*
NEPTUNE	*														LION															*
PLUTON	*														CANCER															*

1 SCORPION

PLANETE	ANNEE 1923																													
	Mois de SEPTEMBRE								Mois d'OCTOBRE																					
JOUR DE NAISSANCE ➧	23	24	25	26	27	28	29	30	1	2	3	4	5	6	7	8	9	10	11	12	13	14	15	16	17	18	19	20	21	22
SOLEIL	*														BALANCE															*
LUNE	♓	♓	♈	♈	♉	♉	♉	♊	♊	♋	♋	♋	♌	♌	♍	♍	♎	♎	♏	♏	♐	♐	♑	♑	♒	♒	♒	♓	♓	♈
MERCURE	*			BALANCE							*	1	*			VIERGE				*	*					BALANCE				*
VENUS	*											BALANCE											*	*			SCORPION			*
MARS	*												VIERGE													*	*	2	2	*
JUPITER	*																SCORPION													*
SATURNE	*																BALANCE													*
URANUS	*																POISSON													*
NEPTUNE	*																LION													*
PLUTON	*																CANCER													*

1 TAUREAU 2 BALANCE

PLANETE	23	24	25	26	27	28	29	30	1	2	3	4	5	6	7	8	9	10	11	12	13	14	15	16	17	18	19	20	21	22
	ANNEE 1924																													
	Mois de SEPTEMBRE								**Mois d'OCTOBRE**																					
SOLEIL	*														BALANCE															*
LUNE	♋	♌	♌	♍	♍	♎	♎	♎	♏	♏	♐	♐	♑	♑	♒	♒	♓	♓	♈	♈	♈	♉	♉	♊	♊	♊	♋	♋	♌	♌
MERCURE	*			VIERGE											*	*							BALANCE							*
VENUS	*										LION				*	*							VIERGE							*
MARS	*														VERSEAU												*	*	1	*
JUPITER	*															SAGITTAIRE														*
SATURNE	*															SCORPION														*
URANUS	*															POISSON														*
NEPTUNE	*														LION															*
PLUTON	*															CANCER														*

1 POISSON

	ANNEE 1925																													
	Mois de SEPTEMBRE								Mois d'OCTOBRE																					
JOUR DE NAISSANCE ➧	23	24	25	26	27	28	29	30	1	2	3	4	5	6	7	8	9	10	11	12	13	14	15	16	17	18	19	20	21	22
PLANETE: SOLEIL	*														BALANCE															*
LUNE	♐	♐	♑	♑	♒	♒	♒	♓	♓	♈	♈	♉	♉	♊	♊	♋	♋	♋	♌	♌	♍	♍	♍	♎	♎	♏	♏	♐	♐	♐
MERCURE	*		VIERGE				*	*							BALANCE										*	*	1	1	1	*
VENUS	*				SCORPION														*	*					SAGITTAIRE					*
MARS	*		VIERGE			*	*									BALANCE														*
JUPITER	*															CAPRICORNE														*
SATURNE	*															SCORPION														*
URANUS	*															POISSON														*
NEPTUNE	*														LION															*
PLUTON	*															CANCER														*

1 SCORPION

	ANNEE 1926																													
	Mois de SEPTEMBRE								Mois d'OCTOBRE																					
JOUR DE NAISSANCE ➧	23	24	25	26	27	28	29	30	1	2	3	4	5	6	7	8	9	10	11	12	13	14	15	16	17	18	19	20	21	22
PLANETE: SOLEIL	*														BALANCE															*
LUNE	♈	♉	♉	♊	♊	♋	♋	♋	♌	♌	♍	♍	♍	♎	♎	♏	♏	♏	♐	♐	♑	♑	♒	♒	♓	♓	♈	♈	♉	♉
MERCURE	*			BALANCE													*	*					SCORPION							*
VENUS	*			VIERGE									*	*						BALANCE										*
MARS	*														TAUREAU															*
JUPITER	*														VERSEAU															*
SATURNE	*														SCORPION															*
URANUS	*														POISSON															*
NEPTUNE	*														LION															*
PLUTON	*														CANCER															*

	ANNEE 1927																													
	Mois de SEPTEMBRE								Mois d'OCTOBRE																					
JOUR DE NAISSANCE ➧	23	24	25	26	27	28	29	30	1	2	3	4	5	6	7	8	9	10	11	12	13	14	15	16	17	18	19	20	21	22
PLANETE: SOLEIL	*								BALANCE																					*
LUNE	♍	♍	♍	♎	♎	♏	♏	♏	♐	♐	♑	♑	♑	♒	♒	♓	♓	♈	♈	♉	♉	♊	♊	♋	♋	♌	♌	♌	♍	♍
MERCURE	*	BALANCE									*	*	SCORPION																	*
VENUS	*								VIERGE																					*
MARS	*								BALANCE																					*
JUPITER	*								POISSON																					*
SATURNE	*								SAGITTAIRE																					*
URANUS	*								BELIER																					*
NEPTUNE	*								LION																					*
PLUTON	*								CANCER																					*

	ANNEE 1928																													
	Mois de SEPTEMBRE								Mois d'OCTOBRE																					
JOUR DE NAISSANCE ➧	23	24	25	26	27	28	29	30	1	2	3	4	5	6	7	8	9	10	11	12	13	14	15	16	17	18	19	20	21	22
PLANETE: SOLEIL	*														BALANCE															*
LUNE	♑	♑	♒	♒	♓	♓	♈	♈	♉	♉	♊	♊	♋	♋	♌	♌	♌	♍	♍	♎	♎	♏	♏	♏	♐	♐	♐	♑	♑	♒
MERCURE	*		BALANCE		*	*									SCORPION															*
VENUS	*			BALANCE			*	*							SCORPION															*
MARS	*				GEMEAUX						*	*							CANCER											*
JUPITER	*														TAUREAU															*
SATURNE	*														SAGITTAIRE															*
URANUS	*														BELIER															*
NEPTUNE	*			LION				*	*						VIERGE															*
PLUTON	*														CANCER															*

	ANNEE 1929																													
	Mois de SEPTEMBRE								Mois d'OCTOBRE																					
JOUR DE NAISSANCE ➧	23	24	25	26	27	28	29	30	1	2	3	4	5	6	7	8	9	10	11	12	13	14	15	16	17	18	19	20	21	22
PLANETE: SOLEIL	*														BALANCE															*
LUNE	♉	♊	♊	♋	♋	♌	♌	♍	♍	♎	♎	♏	♏	♏	♐	♐	♑	♑	♑	♒	♒	♓	♓	♓	♈	♈	♉	♉	♊	♊
MERCURE	*														BALANCE															*
VENUS	*	1	*	*											VIERGE													*	*	2
MARS	*			BALANCE										*	*							SCORPION								*
JUPITER	*														GEMEAUX															*
SATURNE	*														SAGITTAIRE															*
URANUS	*														BELIER															*
NEPTUNE	*														VIERGE															*
PLUTON	*														CANCER															*

1 LION 2 BALANCE

	ANNEE 1930																													
	Mois de SEPTEMBRE								Mois d'OCTOBRE																					
JOUR DE NAISSANCE ➧ / PLANETE	23	24	25	26	27	28	29	30	1	2	3	4	5	6	7	8	9	10	11	12	13	14	15	16	17	18	19	20	21	22
SOLEIL	*														BALANCE															*
LUNE	♎	♎	♏	♏	♐	♐	♑	♑	♑	♒	♒	♓	♓	♓	♈	♈	♉	♉	♊	♊	♊	♋	♋	♌	♌	♍	♍	♎	♎	♏
MERCURE	*												VIERGE						*	*				BALANCE						*
VENUS	*												SCORPION							*	*				SAGITTAIRE					*
MARS	*													CANCER														*	*	1
JUPITER	*													CANCER																*
SATURNE	*													CAPRICORNE																*
URANUS	*													BELIER																*
NEPTUNE	*													VIERGE																*
PLUTON	*													CANCER																*

1 LION

	ANNEE 1931																													
	Mois de SEPTEMBRE								Mois d'OCTOBRE																					
JOUR DE NAISSANCE ➧	23	24	25	26	27	28	29	30	1	2	3	4	5	6	7	8	9	10	11	12	13	14	15	16	17	18	19	20	21	22
PLANETE SOLEIL	*														BALANCE															*
LUNE	♒	♓	♓	♓	♈	♈	♉	♉	♉	♊	♊	♋	♋	♌	♌	♍	♍	♎	♎	♏	♏	♐	♐	♐	♑	♑	♒	♒	♓	♓
MERCURE	*			VIERGE								*	*								BALANCE									*
VENUS	*													BALANCE								*	*			SCORPION				*
MARS	*																SCORPION													*
JUPITER	*															LION														*
SATURNE	*																CAPRICORNE													*
URANUS	*																BELIER													*
NEPTUNE	*																VIERGE													*
PLUTON	*																CANCER													*

	ANNEE 1932																													
	Mois de SEPTEMBRE								Mois d'OCTOBRE																					
JOUR DE NAISSANCE ➧	23	24	25	26	27	28	29	30	1	2	3	4	5	6	7	8	9	10	11	12	13	14	15	16	17	18	19	20	21	22
PLANETE: SOLEIL	*														BALANCE															*
LUNE	♋	♋	♌	♌	♌	♍	♍	♎	♎	♏	♏	♐	♐	♑	♑	♒	♒	♓	♓	♓	♈	♈	♉	♉	♉	♊	♊	♋	♋	♋
MERCURE	*	1	1	*	*									BALANCE							*	*			SCORPION					*
VENUS	*										LION				*	*						VIERGE								*
MARS	*															LION														*
JUPITER	*															VIERGE														*
SATURNE	*															CAPRICORNE														*
URANUS	*															BELIER														*
NEPTUNE	*															VIERGE														*
PLUTON	*															CANCER														*

1 VIERGE

	ANNEE 1933																													
	Mois de SEPTEMBRE								Mois d'OCTOBRE																					
JOUR DE NAISSANCE ➡	23	24	25	26	27	28	29	30	1	2	3	4	5	6	7	8	9	10	11	12	13	14	15	16	17	18	19	20	21	22
PLANETE																														
SOLEIL	*														BALANCE															*
LUNE	♏	♐	♐	♑	♑	♑	♒	♒	♓	♓	♈	♈	♉	♉	♉	♊	♊	♋	♋	♋	♌	♌	♍	♍	♎	♎	♎	♏	♏	♐
MERCURE	*			BALANCE										*	*								SCORPION							*
VENUS	*				SCORPION														*	*					SAGITTAIRE					*
MARS	*												SCORPION				*	*						SAGITTAIRE						*
JUPITER	*															BALANCE														*
SATURNE	*															VERSEAU														*
URANUS	*															BELIER														*
NEPTUNE	*															VIERGE														*
PLUTON	*															CANCER														*

	ANNEE 1934																													
	Mois de SEPTEMBRE								Mois d'OCTOBRE																					
JOUR DE NAISSANCE ➧ / PLANETE	23	24	25	26	27	28	29	30	1	2	3	4	5	6	7	8	9	10	11	12	13	14	15	16	17	18	19	20	21	22
SOLEIL	*														BALANCE															*
LUNE	♈	♈	♉	♉	♉	♊	♊	♋	♋	♌	♌	♌	♍	♍	♎	♎	♎	♏	♏	♐	♐	♑	♑	♒	♒	♒	♓	♓	♈	♈
MERCURE	*			BALANCE			*	*									SCORPION													*
VENUS	*			VIERGE									*	*					BALANCE											*
MARS	*													LION												*	*	1	1	*
JUPITER	*													BALANCE													*	*	2	*
SATURNE	*													VERSEAU																*
URANUS	*													TAUREAU													*	*	3	*
NEPTUNE	*													VIERGE																*
PLUTON	*													CANCER																*

1 VIERGE 2 SCORPION 3 BELIER

	ANNEE 1935																													
	Mois de SEPTEMBRE								Mois d'OCTOBRE																					
JOUR DE NAISSANCE ➧	23	24	25	26	27	28	29	30	1	2	3	4	5	6	7	8	9	10	11	12	13	14	15	16	17	18	19	20	21	22
PLANETE — SOLEIL	*														BALANCE															*
LUNE	♌	♌	♍	♍	♎	♎	♎	♏	♏	♐	♐	♐	♑	♑	♒	♒	♓	♓	♈	♈	♉	♉	♊	♊	♋	♋	♋	♌	♌	♍
MERCURE	*		BALANCE			*	*						SCORPION							*	*				BALANCE					*
VENUS	*														VIERGE															*
MARS	*														SAGITTAIRE															*
JUPITER	*														SCORPION															*
SATURNE	*														POISSON															*
URANUS	*														TAUREAU															*
NEPTUNE	*														VIERGE															*
PLUTON	*														CANCER															*

	ANNEE 1936																													
	Mois de SEPTEMBRE								Mois d'OCTOBRE																					
JOUR DE NAISSANCE ➧	23	24	25	26	27	28	29	30	1	2	3	4	5	6	7	8	9	10	11	12	13	14	15	16	17	18	19	20	21	22
PLANETE — SOLEIL	*														BALANCE															*
LUNE	♐	♑	♑	♒	♒	♓	♓	♈	♈	♉	♉	♊	♊	♋	♋	♋	♌	♌	♍	♍	♍	♎	♎	♏	♏	♏	♐	♐	♑	♑
MERCURE	*														BALANCE															*
VENUS	*		BALANCE			*	1	1	*											SCORPION										*
MARS	*	LION		*	*										VIERGE															*
JUPITER	*														SAGITTAIRE															*
SATURNE	*														POISSON															*
URANUS	*														TAUREAU															*
NEPTUNE	*														VIERGE															*
PLUTON	*														CANCER															*

1 VIERGE

	ANNEE 1937																													
	Mois de SEPTEMBRE								Mois d'OCTOBRE																					
JOUR DE NAISSANCE ➧ / PLANETE	23	24	25	26	27	28	29	30	1	2	3	4	5	6	7	8	9	10	11	12	13	14	15	16	17	18	19	20	21	22
SOLEIL	*														BALANCE															*
LUNE	♉	♉	♊	♊	♋	♋	♌	♌	♍	♍	♍	♎	♎	♏	♏	♏	♐	♐	♑	♑	♑	♒	♒	♓	♓	♈	♈	♉	♉	♊
MERCURE	*											VIERGE		•		*	*						BALANCE							*
VENUS	*	1	*	*													VIERGE										*	*	2	*
MARS	*				SAGITTAIRE			*	*							CAPRICORNE														*
JUPITER	*															CAPRICORNE														*
SATURNE	*														BELIER												*	*	3	*
URANUS	*														TAUREAU															*
NEPTUNE	*														VIERGE															*
PLUTON	*														CANCER												*	*	4	*

1 LION 2 BALANCE 3 POISSON 4 LION

ANNEE 1938

PLANETE	Mois de SEPTEMBRE								Mois d'OCTOBRE																					
JOUR DE NAISSANCE ➧	23	24	25	26	27	28	29	30	1	2	3	4	5	6	7	8	9	10	11	12	13	14	15	16	17	18	19	20	21	22
SOLEIL	*														BALANCE															*
LUNE	♍	♎	♎	♏	♏	♐	♐	♐	♑	♑	♒	♒	♒	♓	♓	♈	♈	♉	♉	♉	♊	♊	♋	♋	♌	♌	♍	♍	♎	♎
MERCURE	*			VIERGE					*	*							BALANCE									*	*	1	1	*
VENUS	*												SCORPION								*	*				SAGITTAIRE				*
MARS	*														VIERGE															*
JUPITER	*														VERSEAU															*
SATURNE	*														BELIER															*
URANUS	*														TAUREAU															*
NEPTUNE	*														VIERGE															*
PLUTON	*														LION															*

1 SCORPION

	ANNEE 1939																													
	Mois de SEPTEMBRE								Mois d'OCTOBRE																					
PLANETE / JOUR DE NAISSANCE ➧	23	24	25	26	27	28	29	30	1	2	3	4	5	6	7	8	9	10	11	12	13	14	15	16	17	18	19	20	21	22
SOLEIL	*														BALANCE															*
LUNE	♒	♒	♒	♓	♓	♈	♈	♈	♉	♉	♊	♊	♋	♋	♌	♌	♌	♍	♍	♎	♎	♏	♏	♐	♐	♑	♑	♒	♒	♒
MERCURE	1	*											BALANCE						*	*					SCORPION					*
VENUS	*												BALANCE									*	*				SCORPION			*
MARS	*	2	*														VERSEAU													*
JUPITER	*																BELIER													*
SATURNE	*				TAUREAU			*	*								BELIER													*
URANUS	*																TAUREAU													*
NEPTUNE	*																VIERGE													*
PLUTON	*																LION													*

1 VIERGE   2 CAPRICORNE

	ANNEE 1940																													
	Mois de SEPTEMBRE								Mois d'OCTOBRE																					
JOUR DE NAISSANCE ➧	23	24	25	26	27	28	29	30	1	2	3	4	5	6	7	8	9	10	11	12	13	14	15	16	17	18	19	20	21	22
PLANETE: SOLEIL	*														BALANCE															*
LUNE	♊	♊	♋	♋	♌	♌	♍	♍	♎	♎	♏	♏	♐	♐	♑	♑	♒	♒	♒	♓	♓	♈	♈	♈	♉	♉	♊	♊	♊	♋
MERCURE	*			BALANCE							*	*								SCORPION										*
VENUS	*			LION										*	*					VIERGE										*
MARS	*			VIERGE									*	*						BALANCE										*
JUPITER	*													TAUREAU																*
SATURNE	*													TAUREAU																*
URANUS	*													TAUREAU																*
NEPTUNE	*													VIERGE																*
PLUTON	*													LION																*

	ANNEE 1941																													
	Mois de SEPTEMBRE								Mois d'OCTOBRE																					
JOUR DE NAISSANCE ➧ / PLANETE	23	24	25	26	27	28	29	30	1	2	3	4	5	6	7	8	9	10	11	12	13	14	15	16	17	18	19	20	21	22
SOLEIL	*														BALANCE															*
LUNE	♏	♏	♐	♐	♐	♑	♑	♒	♒	♓	♓	♈	♈	♈	♉	♉	♊	♊	♊	♋	♋	♌	♌	♌	♍	♍	♎	♎	♏	♏
MERCURE	*		BALANCE			*	*									SCORPION														*
VENUS	*			SCORPION														*	*					SAGITTAIRE						*
MARS	*														BELIER															*
JUPITER	*														GEMEAUX															*
SATURNE	*														TAUREAU															*
URANUS	*												GEMEAUX				*	*						TAUREAU						*
NEPTUNE	*														VIERGE															*
PLUTON	*														LION															*

	ANNEE 1942																													
	Mois de SEPTEMBRE								Mois d'OCTOBRE																					
JOUR DE NAISSANCE ➧ / PLANETE	23	24	25	26	27	28	29	30	1	2	3	4	5	6	7	8	9	10	11	12	13	14	15	16	17	18	19	20	21	22
SOLEIL	*														BALANCE															*
LUNE	♓	♓	♈	♈	♉	♉	♊	♊	♊	♋	♋	♌	♌	♌	♍	♍	♎	♎	♏	♏	♐	♐	♑	♑	♒	♒	♒	♓	♓	♈
MERCURE	*												BALANCE																	*
VENUS	*				VIERGE								*	*							BALANCE									*
MARS	*												BALANCE																	*
JUPITER	*														CANCER															*
SATURNE	*														GEMEAUX															*
URANUS	*														GEMEAUX															*
NEPTUNE	*											VIERGE					*	*						BALANCE						*
PLUTON	*																LION													*

	ANNEE 1943																													
	Mois de SEPTEMBRE								Mois d'OCTOBRE																					
JOUR DE NAISSANCE ➧	23	24	25	26	27	28	29	30	1	2	3	4	5	6	7	8	9	10	11	12	13	14	15	16	17	18	19	20	21	22
PLANETE: SOLEIL	*														BALANCE															*
LUNE	♋	♌	♌	♌	♍	♍	♎	♎	♏	♏	♏	♐	♐	♑	♑	♒	♒	♓	♓	♈	♈	♉	♉	♊	♊	♊	♋	♋	♌	♌
MERCURE	*	1	*	*									VIERGE						*	*					BALANCE					*
VENUS	*																		VIERGE											*
MARS	*															GEMEAUX														*
JUPITER	*															LION														*
SATURNE	*															GEMEAUX														*
URANUS	*															GEMEAUX														*
NEPTUNE	*															BALANCE														*
PLUTON	*															LION														*

1 BALANCE

		ANNEE 1944																													
		Mois de SEPTEMBRE								Mois d'OCTOBRE																					
	JOUR DE NAISSANCE ➧	23	24	25	26	27	28	29	30	1	2	3	4	5	6	7	8	9	10	11	12	13	14	15	16	17	18	19	20	21	22
PLANETE	SOLEIL	*														BALANCE															*
	LUNE	♐	♐	♑	♑	♑	♒	♒	♓	♓	♈	♈	♉	♉	♊	♊	♋	♋	♌	♌	♌	♍	♍	♎	♎	♎	♏	♏	♐	♐	♐
	MERCURE	*			VIERGE									*	*									BALANCE							*
	VENUS	*		BALANCE			*	*											SCORPION												*
	MARS	*			BALANCE																	*	*				SCORPION				*
	JUPITER	*														VIERGE															*
	SATURNE	*														CANCER															*
	URANUS	*														GEMEAUX															*
	NEPTUNE	*														BALANCE															*
	PLUTON	*														LION															*

	ANNEE 1945																													
	Mois de SEPTEMBRE								Mois d'OCTOBRE																					
JOUR DE NAISSANCE ➧	23	24	25	26	27	28	29	30	1	2	3	4	5	6	7	8	9	10	11	12	13	14	15	16	17	18	19	20	21	22
PLANETE: SOLEIL	*													BALANCE																*
LUNE	♈	♉	♉	♊	♊	♋	♋	♌	♌	♌	♍	♍	♎	♎	♎	♏	♏	♐	♐	♐	♑	♑	♒	♒	♓	♓	♈	♈	♉	♉
MERCURE	*	VIERGE			*	*							BALANCE										*	*	SCORPION					*
VENUS	1	*	*										VIERGE														*	*	2	*
MARS	*													CANCER																*
JUPITER	*													BALANCE																*
SATURNE	*													CANCER																*
URANUS	*													GEMEAUX																*
NEPTUNE	*													BALANCE																*
PLUTON	*													LION																*

1 LION 2 BALANCE

PLANETE	ANNEE 1946																													
	Mois de SEPTEMBRE								Mois d'OCTOBRE																					
JOUR DE NAISSANCE ➧	23	24	25	26	27	28	29	30	1	2	3	4	5	6	7	8	9	10	11	12	13	14	15	16	17	18	19	20	21	22
SOLEIL	*															BALANCE														*
LUNE	♍	♍	♎	♎	♎	♏	♏	♐	♐	♐	♑	♑	♒	♒	♓	♓	♓	♈	♈	♉	♉	♊	♊	♋	♋	♌	♌	♍	♍	♎
MERCURE	*			BALANCE											*	*						SCORPION								*
VENUS	*														SCORPION									*	*		SAGITTAIRE			*
MARS	1	*	*														SCORPION													*
JUPITER	*			BALANCE				*	*								SCORPION													*
SATURNE	*															LION														*
URANUS	*															GEMEAUX														*
NEPTUNE	*															BALANCE														*
PLUTON	*															LION														*

1 BALANCE

	ANNEE 1947																													
	Mois de SEPTEMBRE								Mois d'OCTOBRE																					
JOUR DE NAISSANCE ➧	23	24	25	26	27	28	29	30	1	2	3	4	5	6	7	8	9	10	11	12	13	14	15	16	17	18	19	20	21	22
PLANETE: SOLEIL	*														BALANCE															*
LUNE	♑	♑	♒	♒	♓	♓	♓	♈	♈	♉	♉	♊	♊	♋	♋	♋	♌	♌	♍	♍	♎	♎	♏	♏	♐	♐	♐	♑	♑	♒
MERCURE	*			BALANCE					*	*										SCORPION										*
VENUS	*			BALANCE																	*	*					SCORPION			*
MARS	*			CANCER					*	*								LION												*
JUPITER	*																	SCORPION												*
SATURNE	*																LION													*
URANUS	*																GEMEAUX													*
NEPTUNE	*																BALANCE													*
PLUTON	*																LION													*

	ANNEE 1948																													
	Mois de SEPTEMBRE								Mois d'OCTOBRE																					
JOUR DE NAISSANCE ➧	23	24	25	26	27	28	29	30	1	2	3	4	5	6	7	8	9	10	11	12	13	14	15	16	17	18	19	20	21	22
PLANETE — SOLEIL	*														BALANCE															*
LUNE	♉	♊	♊	♋	♋	♌	♌	♍	♍	♎	♎	♏	♏	♐	♐	♐	♑	♑	♒	♒	♒	♓	♓	♈	♈	♈	♉	♉	♊	♊
MERCURE	*	BALANCE			*	*								SCORPION											*	*	BALANCE			*
VENUS	*										LION			*	*						VIERGE									*
MARS	*												SCORPION												*	*	1	1	1	*
JUPITER	*															SAGITTAIRE														*
SATURNE	*															VIERGE														*
URANUS	*															CANCER														*
NEPTUNE	*															BALANCE														*
PLUTON	*															LION														*

1 SAGITTAIRE

	ANNEE 1949																														
	Mois de SEPTEMBRE								Mois d'OCTOBRE																						
JOUR DE NAISSANCE ➧	23	24	25	26	27	28	29	30	1	2	3	4	5	6	7	8	9	10	11	12	13	14	15	16	17	18	19	20	21	22
PLANETE																															
SOLEIL	*														BALANCE															*
LUNE	♎	♎	♏	♏	♐	♐	♑	♑	♒	♒	♓	♓	♓	♈	♈	♉	♉	♉	♊	♊	♋	♋	♋	♌	♌	♍	♍	♎	♎	♏
MERCURE	*															BALANCE														*
VENUS	*				SCORPION													*	*						SAGITTAIRE					*
MARS	*													LION																*
JUPITER	*														CAPRICORNE															*
SATURNE	*													VIERGE																*
URANUS	*													CANCER																*
NEPTUNE	*													BALANCE																*
PLUTON	*													LION																*

	ANNEE 1950																													
	Mois de SEPTEMBRE								Mois d'OCTOBRE																					
PLANETE / JOUR DE NAISSANCE ➧	23	24	25	26	27	28	29	30	1	2	3	4	5	6	7	8	9	10	11	12	13	14	15	16	17	18	19	20	21	22
SOLEIL	*														BALANCE															*
LUNE	♒	♓	♓	♈	♈	♉	♉	♉	♊	♊	♋	♋	♋	♌	♌	♍	♍	♎	♎	♏	♏	♐	♐	♑	♑	♑	♒	♒	♓	♓
MERCURE	*											VIERGE					*	*						BALANCE						*
VENUS	*				VIERGE							*	*							BALANCE										*
MARS	*	1	*	*														SAGITTAIRE												*
JUPITER	*																	VERSEAU												*
SATURNE	*																	VIERGE												*
URANUS	*																	CANCER												*
NEPTUNE	*																	BALANCE												*
PLUTON	*																	LION												*

1 SCORPION

JOUR DE NAISSANCE ➧	23	24	25	26	27	28	29	30	1	2	3	4	5	6	7	8	9	10	11	12	13	14	15	16	17	18	19	20	21	22
ANNEE 1951																														
	Mois de SEPTEMBRE								Mois d'OCTOBRE																					
PLANETE: SOLEIL	*														BALANCE															*
LUNE	♋	♋	♋	♌	♌	♍	♍	♍	♎	♎	♏	♏	♐	♐	♑	♑	♒	♒	♓	♓	♈	♈	♈	♉	♉	♊	♊	♊	♋	♋
MERCURE	*			VIERGE						*	*							BALANCE									*	*	1	*
VENUS	*														VIERGE															*
MARS	*			LION								*	*				VIERGE													*
JUPITER	*														BELIER															*
SATURNE	*														BALANCE															*
URANUS	*														CANCER															*
NEPTUNE	*														BALANCE															*
PLUTON	*														LION															*

1 SCORPION

	ANNEE 1952																													
	Mois de SEPTEMBRE								Mois d'OCTOBRE																					
JOUR DE NAISSANCE ➧	23	24	25	26	27	28	29	30	1	2	3	4	5	6	7	8	9	10	11	12	13	14	15	16	17	18	19	20	21	22
PLANETE: SOLEIL	*														BALANCE															*
LUNE	♏	♐	♐	♐	♑	♑	♒	♒	♓	♓	♈	♈	♉	♉	♊	♊	♋	♋	♋	♌	♌	♍	♍	♍	♎	♎	♏	♏	♏	♐
MERCURE	1	*											BALANCE						*	*					SCORPION					*
VENUS	*		BALANCE		*	*													SCORPION											*
MARS	*													SAGITTAIRE						*	*					CAPRICORNE				*
JUPITER	*																TAUREAU													*
SATURNE	*																BALANCE													*
URANUS	*																CANCER													*
NEPTUNE	*																BALANCE													*
PLUTON	*																LION													*

1 VIERGE

PLANETE	ANNEE 1953																													
	Mois de SEPTEMBRE								Mois d'OCTOBRE																					
JOUR DE NAISSANCE ➧	23	24	25	26	27	28	29	30	1	2	3	4	5	6	7	8	9	10	11	12	13	14	15	16	17	18	19	20	21	22
SOLEIL	*														BALANCE															*
LUNE	♈	♈	♉	♉	♊	♊	♋	♋	♋	♌	♌	♍	♍	♍	♎	♎	♏	♏	♏	♐	♐	♑	♑	♒	♒	♒	♓	♓	♈	♈
MERCURE	*				BALANCE							*	*							SCORPION										*
VENUS	1	*	*													VIERGE										*	*	2	2	*
MARS	*															VIERGE														*
JUPITER	*															GEMEAUX														*
SATURNE	*															BALANCE														*
URANUS	*															CANCER														*
NEPTUNE	*															BALANCE														*
PLUTON	*															LION														*

1 LION 2 BALANCE

	ANNEE 1954																													
	Mois de SEPTEMBRE								Mois d'OCTOBRE																					
JOUR DE NAISSANCE ➧	23	24	25	26	27	28	29	30	1	2	3	4	5	6	7	8	9	10	11	12	13	14	15	16	17	18	19	20	21	22
PLANETE																														
SOLEIL	*														BALANCE															*
LUNE	♌	♍	♍	♍	♎	♎	♏	♏	♏	♐	♐	♑	♑	♑	♒	♒	♓	♓	♈	♈	♉	♉	♊	♊	♋	♋	♌	♌	♌	♍
MERCURE	*			BALANCE			*	*								SCORPION														*
VENUS	*															SCORPION														*
MARS	*												CAPRICORNE																*	1
JUPITER	*												CANCER																	*
SATURNE	*												SCORPION																	*
URANUS	*												CANCER																	*
NEPTUNE	*												BALANCE																	*
PLUTON	*												LION																	*

1 VERSEAU

	ANNEE 1955																													
	Mois de SEPTEMBRE								Mois d'OCTOBRE																					
JOUR DE NAISSANCE ➧	23	24	25	26	27	28	29	30	1	2	3	4	5	6	7	8	9	10	11	12	13	14	15	16	17	18	19	20	21	22
PLANETE																														
SOLEIL	*								BALANCE																					*
LUNE	♐	♑	♑	♑	♒	♒	♓	♓	♈	♈	♉	♉	♊	♊	♊	♋	♋	♌	♌	♍	♍	♎	♎	♏	♏	♏	♐	♐	♑	♑
MERCURE	*								BALANCE																					*
VENUS	*								BALANCE												*	*	SCORPION							*
MARS	*								VIERGE												*	*	BALANCE							*
JUPITER	*								LION																					*
SATURNE	*								SCORPION																					*
URANUS	*								LION																					*
NEPTUNE	*								BALANCE																					*
PLUTON	*								LION																					*

	ANNEE 1956																													
	Mois de SEPTEMBRE								Mois d'OCTOBRE																					
JOUR DE NAISSANCE ➧	23	24	25	26	27	28	29	30	1	2	3	4	5	6	7	8	9	10	11	12	13	14	15	16	17	18	19	20	21	22
PLANETE: SOLEIL	*														BALANCE															*
LUNE	♉	♉	♊	♊	♋	♋	♌	♌	♍	♍	♎	♎	♎	♏	♏	♐	♐	♑	♑	♑	♒	♒	♓	♓	♓	♈	♈	♉	♉	♊
MERCURE	*		BALANCE				*	*						VIERGE					*	*						BALANCE				*
VENUS	*														LION															*
MARS	*														POISSON															*
JUPITER	*														VIERGE															*
SATURNE	*														SCORPION															*
URANUS	*														LION												*	*	1	*
NEPTUNE	*														BALANCE												*	*	2	*
PLUTON	*														LION												*	*	3	*

1 SAGITTAIRE 2 SCORPION 3 VIERGE

	ANNEE 1957																													
	Mois de SEPTEMBRE								Mois d'OCTOBRE																					
JOUR DE NAISSANCE ➧	23	24	25	26	27	28	29	30	1	2	3	4	5	6	7	8	9	10	11	12	13	14	15	16	17	18	19	20	21	22
PLANETE SOLEIL	*														BALANCE															*
LUNE	♍	♎	♎	♏	♏	♐	♐	♑	♑	♑	♒	♒	♓	♓	♓	♈	♈	♉	♉	♉	♊	♊	♋	♋	♌	♌	♍	♍	♎	♎
MERCURE	*			VIERGE										*	*								BALANCE							*
VENUS	*				SCORPION											*	*						SAGITTAIRE							*
MARS	1	*	*													BALANCE														*
JUPITER	*															BALANCE														*
SATURNE	*															SAGITTAIRE														*
URANUS	*															LION														*
NEPTUNE	*															SCORPION														*
PLUTON	*															VIERGE														*

1 VIERGE

	ANNEE 1958																													
	Mois de SEPTEMBRE								Mois d'OCTOBRE																					
JOUR DE NAISSANCE ➧	23	24	25	26	27	28	29	30	1	2	3	4	5	6	7	8	9	10	11	12	13	14	15	16	17	18	19	20	21	22
PLANETE SOLEIL	*														BALANCE															*
LUNE	♒	♒	♓	♓	♓	♈	♈	♉	♉	♉	♊	♊	♋	♋	♌	♌	♌	♍	♍	♎	♎	♏	♏	♐	♐	♑	♑	♒	♒	♓
MERCURE	*		VIERGE			*	*							BALANCE										*	*		SCORPION			*
VENUS	*			VIERGE							*	*							BALANCE											*
MARS	*														GEMEAUX															*
JUPITER	*														SCORPION															*
SATURNE	*														SAGITTAIRE															*
URANUS	*														LION															*
NEPTUNE	*														SCORPION															*
PLUTON	*														VIERGE															*

	ANNEE 1959																														
	Mois de SEPTEMBRE								Mois d'OCTOBRE																						
JOUR DE NAISSANCE ➧	23	24	25	26	27	28	29	30	1	2	3	4	5	6	7	8	9	10	11	12	13	14	15	16	17	18	19	20	21	22
PLANETE — SOLEIL	*													BALANCE																*
LUNE	♊	♊	♋	♋	♌	♌	♌	♍	♍	♎	♎	♏	♏	♐	♐	♑	♑	♒	♒	♓	♓	♓	♈	♈	♉	♉	♉	♊	♊	♋
MERCURE	*										BALANCE					*	*						SCORPION							*
VENUS	*	1	*	*													VIERGE													*
MARS	*													BALANCE															*	2
JUPITER	*										SCORPION						*	*						SAGITTAIRE						*
SATURNE	*														CAPRICORNE															*
URANUS	*													LION																*
NEPTUNE	*														SCORPION															*
PLUTON	*														VIERGE															*

1 LION 2 SCORPION

		ANNEE 1960																												
	Mois de SEPTEMBRE								Mois d'OCTOBRE																					
JOUR DE NAISSANCE ➧	23	24	25	26	27	28	29	30	1	2	3	4	5	6	7	8	9	10	11	12	13	14	15	16	17	18	19	20	21	22
PLANETE SOLEIL	✱	BALANCE																												✱
LUNE	♏	♏	♏	♐	♐	♑	♑	♒	♒	♓	♓	♈	♈	♉	♉	♉	♊	♊	♋	♋	♋	♌	♌	♍	♍	♎	♎	♎	♏	♏
MERCURE	✱	BALANCE							✱	✱	SCORPION																			✱
VENUS	✱	BALANCE			✱	✱	SCORPION																					✱	✱	1
MARS	✱	CANCER																												✱
JUPITER	✱	SAGITTAIRE																												✱
SATURNE	✱	CAPRICORNE																												✱
URANUS	✱	LION																												✱
NEPTUNE	✱	SCORPION																												✱
PLUTON	✱	VIERGE																												✱

1 SAGITTAIRE

ANNEE 1961

JOUR DE NAISSANCE ➧	Mois de SEPTEMBRE								Mois d'OCTOBRE																					
PLANETE	23	24	25	26	27	28	29	30	1	2	3	4	5	6	7	8	9	10	11	12	13	14	15	16	17	18	19	20	21	22
SOLEIL	*													BALANCE																*
LUNE	♓	♈	♈	♉	♉	♉	♊	♊	♋	♋	♌	♌	♌	♍	♍	♎	♎	♎	♏	♏	♐	♐	♑	♑	♑	♒	♒	♓	♓	♈
MERCURE	*	BALANCE			*	*								SCORPION																*
VENUS	1	*												VIERGE												*	*	2	2	*
MARS	*		BALANCE						*	*					SCORPION															*
JUPITER	*													CAPRICORNE																*
SATURNE	*													CAPRICORNE																*
URANUS	*													LION																*
NEPTUNE	*													SCORPION																*
PLUTON	*													VIERGE																*

1 LION 2 BALANCE

	ANNEE 1962																													
	Mois de SEPTEMBRE								Mois d'OCTOBRE																					
JOUR DE NAISSANCE ➧	23	24	25	26	27	28	29	30	1	2	3	4	5	6	7	8	9	10	11	12	13	14	15	16	17	18	19	20	21	22
PLANETE — SOLEIL	*														BALANCE															*
LUNE	♌	♌	♌	♍	♍	♎	♎	♎	♏	♏	♐	♐	♐	♑	♑	♒	♒	♓	♓	♈	♈	♉	♉	♊	♊	♋	♋	♋	♌	♌
MERCURE	*													BALANCE																*
VENUS	*															SCORPION														*
MARS	*												CANCER						*	*					LION					*
JUPITER	*														POISSON															*
SATURNE	*														VERSEAU															*
URANUS	*														VIERGE															*
NEPTUNE	*														SCORPION															*
PLUTON	*														VIERGE															*

	ANNEE 1963																													
	Mois de SEPTEMBRE								Mois d'OCTOBRE																					
JOUR DE NAISSANCE ➧	23	24	25	26	27	28	29	30	1	2	3	4	5	6	7	8	9	10	11	12	13	14	15	16	17	18	19	20	21	22
PLANETE: SOLEIL	*														BALANCE															*
LUNE	♐	♐	♐	♑	♑	♒	♒	♓	♓	♓	♈	♈	♉	♉	♊	♊	♋	♋	♌	♌	♍	♍	♍	♎	♎	♏	♏	♏	♐	♐
MERCURE	*											VIERGE						*	*					BALANCE						*
VENUS	*												BALANCE							*	*					SCORPION				*
MARS	*															SCORPION														*
JUPITER	*															BELIER														*
SATURNE	*															VERSEAU														*
URANUS	*															VIERGE														*
NEPTUNE	*															SCORPION														*
PLUTON	*															VIERGE														*

	ANNEE 1964																													
	Mois de SEPTEMBRE								Mois d'OCTOBRE																					
JOUR DE NAISSANCE ➧	23	24	25	26	27	28	29	30	1	2	3	4	5	6	7	8	9	10	11	12	13	14	15	16	17	18	19	20	21	22
PLANETE																														
SOLEIL	*														BALANCE															*
LUNE	♈	♉	♉	♊	♊	♋	♋	♌	♌	♌	♍	♍	♎	♎	♏	♏	♐	♐	♐	♑	♑	♒	♒	♒	♓	♓	♈	♈	♉	♉
MERCURE	*			VIERGE							*	*							BALANCE									*	*	1
VENUS	*			LION									*	*									VIERGE							*
MARS	*															LION														*
JUPITER	*															TAUREAU														*
SATURNE	*															VERSEAU														*
URANUS	*															VIERGE														*
NEPTUNE	*															SCORPION														*
PLUTON	*															VIERGE														*

1 SCORPION

	ANNEE 1965																													
	Mois de SEPTEMBRE								Mois d'OCTOBRE																					
JOUR DE NAISSANCE ➧	23	24	25	26	27	28	29	30	1	2	3	4	5	6	7	8	9	10	11	12	13	14	15	16	17	18	19	20	21	22
PLANETE: SOLEIL	*													BALANCE																*
LUNE	♍	♍	♎	♎	♏	♏	♐	♐	♐	♑	♑	♒	♒	♒	♓	♓	♈	♈	♈	♉	♉	♊	♊	♋	♋	♌	♌	♍	♍	♎
MERCURE	*	1	*	*									BALANCE							*	*			SCORPION						*
VENUS	*		SCORPION														*	*				SAGITTAIRE								*
MARS	*	SCORPION									*	*						SAGITTAIRE												*
JUPITER	*		GEMEAUX					*	*						CANCER															*
SATURNE	*														POISSON															*
URANUS	*														VIERGE															*
NEPTUNE	*														SCORPION															*
PLUTON	*														VIERGE															*

1 VIERGE

	ANNEE 1966																													
	Mois de SEPTEMBRE								Mois d'OCTOBRE																					
JOUR DE NAISSANCE ➧	23	24	25	26	27	28	29	30	1	2	3	4	5	6	7	8	9	10	11	12	13	14	15	16	17	18	19	20	21	22
PLANETE — SOLEIL	*															BALANCE														*
LUNE	♑	♒	♒	♒	♓	♓	♈	♈	♈	♉	♉	♊	♊	♋	♋	♋	♌	♌	♍	♍	♎	♎	♏	♏	♐	♐	♑	♑	♒	♒
MERCURE	*			BALANCE									*	*						SCORPION										*
VENUS	*			VIERGE							*	*							BALANCE											*
MARS	*													LION						*	*					VIERGE				*
JUPITER	*			CANCER				*	*								LION													*
SATURNE	*																POISSON													*
URANUS	*																VIERGE													*
NEPTUNE	*																SCORPION													*
PLUTON	*																VIERGE													*

	ANNEE 1967																													
	Mois de SEPTEMBRE								Mois d'OCTOBRE																					
JOUR DE NAISSANCE ➧	23	24	25	26	27	28	29	30	1	2	3	4	5	6	7	8	9	10	11	12	13	14	15	16	17	18	19	20	21	22
PLANETE SOLEIL	*														BALANCE															*
LUNE	♉	♊	♊	♊	♋	♋	♌	♌	♍	♍	♎	♎	♏	♏	♐	♐	♑	♑	♑	♒	♒	♓	♓	♈	♈	♈	♉	♉	♊	♊
MERCURE	*			BALANCE				*	*								SCORPION													*
VENUS	*			LION					*	*						VIERGE														*
MARS	*															SAGITTAIRE														*
JUPITER	*														LION												*	*	1	*
SATURNE	*														BELIER															*
URANUS	*														VIERGE															*
NEPTUNE	*														SCORPION															*
PLUTON	*														VIERGE															*

1 VIERGE

ANNEE 1968	Mois de SEPTEMBRE								Mois d'OCTOBRE																					
JOUR DE NAISSANCE ➧	23	24	25	26	27	28	29	30	1	2	3	4	5	6	7	8	9	10	11	12	13	14	15	16	17	18	19	20	21	22
PLANETE: SOLEIL	*														BALANCE															*
LUNE	♎	♎	♏	♏	♐	♐	♑	♑	♒	♒	♓	♓	♈	♈	♈	♉	♉	♊	♊	♊	♋	♋	♌	♌	♌	♍	♍	♎	♎	♏
MERCURE	*		BALANCE			*	*				SCORPION					*	*						BALANCE							*
VENUS	*	1	1	*	*											SCORPION													*	2
MARS	*															VIERGE														*
JUPITER	*															VIERGE														*
SATURNE	*															BELIER														*
URANUS	*			VIERGE				*	*							BALANCE														*
NEPTUNE	*															SCORPION														*
PLUTON	*															VIERGE														*

1 BALANCE 2 SAGITTAIRE

	ANNEE 1969																													
	Mois de SEPTEMBRE								Mois d'OCTOBRE																					
JOUR DE NAISSANCE ➧	23	24	25	26	27	28	29	30	1	2	3	4	5	6	7	8	9	10	11	12	13	14	15	16	17	18	19	20	21	22
PLANETE — SOLEIL	*														BALANCE															*
LUNE	♒	♓	♓	♈	♈	♉	♉	♊	♊	♊	♋	♋	♌	♌	♌	♍	♍	♎	♎	♏	♏	♐	♐	♐	♑	♑	♒	♒	♓	♓
MERCURE	*			BALANCE											*	2	2	*					BALANCE							*
VENUS	1	*														VIERGE								*	*		BALANCE			*
MARS	*															CAPRICORNE														*
JUPITER	*															BALANCE														*
SATURNE	*															TAUREAU														*
URANUS	*															BALANCE														*
NEPTUNE	*															SCORPION														*
PLUTON	*															VIERGE														*

1 LION 2 VIERGE

	ANNEE 1970																													
	Mois de SEPTEMBRE								Mois d'OCTOBRE																					
JOUR DE NAISSANCE ➧	23	24	25	26	27	28	29	30	1	2	3	4	5	6	7	8	9	10	11	12	13	14	15	16	17	18	19	20	21	22
PLANETE: SOLEIL	✻														BALANCE															✻
LUNE	♋	♋	♌	♌	♍	♍	♍	♎	♎	♏	♏	♏	♐	♐	♑	♑	♒	♒	♓	♓	♈	♈	♉	♉	♉	♊	♊	♋	♋	♌
MERCURE	✻			VIERGE											✻	✻						BALANCE								✻
VENUS	✻														SCORPION															✻
MARS	✻														VIERGE													✻	✻	1
JUPITER	✻														SCORPION															✻
SATURNE	✻														TAUREAU															✻
URANUS	✻														BALANCE															✻
NEPTUNE	✻														SCORPION															✻
PLUTON	✻														VIERGE															✻

1 BALANCE

		ANNEE 1971																												
		Mois de SEPTEMBRE								Mois d'OCTOBRE																				
	JOUR DE NAISSANCE ➧	23	24	25	26	27	28	29	30	1	2	3	4	5	6	7	8	9	10	11	12	13	14	15	16	17	18	19	20	21	22
PLANETE	SOLEIL	*													BALANCE																*
	LUNE	♏	♏	♐	♐	♑	♑	♑	♒	♒	♓	♓	♈	♈	♉	♉	♊	♊	♋	♋	♌	♌	♌	♍	♍	♎	♎	♎	♏	♏	♐
	MERCURE	*		VIERGE				*	*						BALANCE											*	*	1	1	1	*
	VENUS	*												BALANCE						*	*				SCORPION						*
	MARS	*												VERSEAU																	*
	JUPITER	*												SAGITTAIRE																	*
	SATURNE	*												GEMEAUX																	*
	URANUS	*												BALANCE																	*
	NEPTUNE	*												SAGITTAIRE																	*
	PLUTON	*												VIERGE														*	*	2	*

1 SCORPION 2 BALANCE

PLANETE	ANNEE 1972																													
	Mois de SEPTEMBRE								Mois d'OCTOBRE																					
JOUR DE NAISSANCE ➧	23	24	25	26	27	28	29	30	1	2	3	4	5	6	7	8	9	10	11	12	13	14	15	16	17	18	19	20	21	22
SOLEIL	*								BALANCE																					*
LUNE	♈	♈	♉	♉	♊	♊	♋	♋	♋	♌	♌	♍	♍	♎	♎	♎	♏	♏	♐	♐	♐	♑	♑	♒	♒	♓	♓	♓	♈	♈
MERCURE	*	BALANCE															*	*	SCORPION											*
VENUS	*	LION											*	*	VIERGE															*
MARS	*	VIERGE					*	*	BALANCE																					*
JUPITER	*	SAGITTAIRE						*	*	CAPRICORNE																				*
SATURNE	*								GEMEAUX																					*
URANUS	*								BALANCE																					*
NEPTUNE	*								SAGITTAIRE																					*
PLUTON	*								BALANCE																					*

	ANNEE 1973																													
	Mois de SEPTEMBRE								Mois d'OCTOBRE																					
JOUR DE NAISSANCE ➧	23	24	25	26	27	28	29	30	1	2	3	4	5	6	7	8	9	10	11	12	13	14	15	16	17	18	19	20	21	22
PLANETE: SOLEIL	*														BALANCE															*
LUNE	♌	♍	♍	♎	♎	♎	♏	♏	♐	♐	♑	♑	♑	♒	♒	♓	♓	♓	♈	♈	♉	♉	♊	♊	♋	♋	♌	♌	♍	♍
MERCURE	*				BALANCE					*	*								SCORPION											*
VENUS	*				SCORPION												*	*						SAGITTAIRE						*
MARS	*														TAUREAU															*
JUPITER	*														VERSEAU															*
SATURNE	*														CANCER															*
URANUS	*														BALANCE															*
NEPTUNE	*														SAGITTAIRE															*
PLUTON	*														BALANCE															*

	ANNEE 1974																													
	Mois de SEPTEMBRE								Mois d'OCTOBRE																					
JOUR DE NAISSANCE ➧	23	24	25	26	27	28	29	30	1	2	3	4	5	6	7	8	9	10	11	12	13	14	15	16	17	18	19	20	21	22
PLANETE: SOLEIL	*														BALANCE															*
LUNE	♑	♑	♑	♒	♒	♓	♓	♓	♈	♈	♉	♉	♊	♊	♊	♋	♋	♌	♌	♍	♍	♎	♎	♏	♏	♐	♐	♐	♑	♑
MERCURE	*		BALANCE			*	*									SCORPION														*
VENUS	*				VIERGE					*	*						BALANCE													*
MARS	*													BALANCE																*
JUPITER	*													POISSON																*
SATURNE	*													CANCER																*
URANUS	*													BALANCE																*
NEPTUNE	*													SAGITTAIRE																*
PLUTON	*													BALANCE																*

	ANNEE 1975																													
	Mois de SEPTEMBRE								Mois d'OCTOBRE																					
JOUR DE NAISSANCE ➧	23	24	25	26	27	28	29	30	1	2	3	4	5	6	7	8	9	10	11	12	13	14	15	16	17	18	19	20	21	22
PLANETE SOLEIL	*														BALANCE															*
LUNE	♉	♉	♉	♊	♊	♋	♋	♌	♌	♍	♍	♎	♎	♏	♏	♐	♐	♐	♑	♑	♒	♒	♓	♓	♓	♈	♈	♈	♉	♉
MERCURE	*														BALANCE															*
VENUS	*			LION													*	*					VIERGE							*
MARS	*														GEMEAUX												*	*	1	*
JUPITER	*														BELIER															*
SATURNE	*														LION															*
URANUS	*														SCORPION															*
NEPTUNE	*														SAGITTAIRE															*
PLUTON	*														BALANCE															*

1 CANCER

	ANNEE 1976																													
	Mois de SEPTEMBRE								Mois d'OCTOBRE																					
JOUR DE NAISSANCE ➧	23	24	25	26	27	28	29	30	1	2	3	4	5	6	7	8	9	10	11	12	13	14	15	16	17	18	19	20	21	22
PLANETE SOLEIL	*														BALANCE															*
LUNE	♍	♍	♎	♎	♏	♏	♐	♐	♐	♑	♑	♒	♒	♓	♓	♓	♈	♈	♉	♉	♊	♊	♋	♋	♋	♌	♌	♍	♍	♎
MERCURE	*			BALANCE				*	*								VIERGE										*	*	1	*
VENUS	*			BALANCE				*	*										SCORPION											*
MARS	*			BALANCE													*	*					SCORPION							*
JUPITER	*														GEMEAUX												*	*	2	*
SATURNE	*														LION															*
URANUS	*														SCORPION															*
NEPTUNE	*															SAGITTAIRE														*
PLUTON	*															BALANCE														*

1 BALANCE 2 TAUREAU

	ANNEE 1977																													
	Mois de SEPTEMBRE								Mois d'OCTOBRE																					
JOUR DE NAISSANCE ➧	23	24	25	26	27	28	29	30	1	2	3	4	5	6	7	8	9	10	11	12	13	14	15	16	17	18	19	20	21	22
PLANETE																														
SOLEIL	*														BALANCE															*
LUNE	♒	♒	♒	♓	♓	♈	♈	♉	♉	♉	♊	♊	♋	♋	♌	♌	♌	♍	♍	♎	♎	♏	♏	♐	♐	♐	♑	♑	♒	♒
MERCURE	*											VIERGE					*	*					BALANCE							*
VENUS	*			LION				*	*								VIERGE										*	*	1	*
MARS	*														CANCER															*
JUPITER	*														CANCER															*
SATURNE	*													LION																*
URANUS	*														SCORPION															*
NEPTUNE	*														SAGITTAIRE															*
PLUTON	*														BALANCE															*

1 BALANCE

	ANNEE 1978																													
	Mois de SEPTEMBRE								Mois d'OCTOBRE																					
JOUR DE NAISSANCE ➧	23	24	25	26	27	28	29	30	1	2	3	4	5	6	7	8	9	10	11	12	13	14	15	16	17	18	19	20	21	22
PLANETE: SOLEIL	*														BALANCE															*
LUNE	♊	♊	♋	♋	♌	♌	♍	♍	♍	♎	♎	♏	♏	♐	♐	♑	♑	♑	♒	♒	♓	♓	♈	♈	♈	♉	♉	♊	♊	♋
MERCURE	*			VIERGE				*	*							BALANCE											*	*	1	*
VENUS	*															SCORPION														*
MARS	*															SCORPION														*
JUPITER	*															LION														*
SATURNE	*															VIERGE														*
URANUS	*															SCORPION														*
NEPTUNE	*															SAGITTAIRE														*
PLUTON	*															BALANCE														*

1 SCORPION

	ANNEE 1979																													
	Mois de SEPTEMBRE								Mois d'OCTOBRE																					
JOUR DE NAISSANCE ➧	23	24	25	26	27	28	29	30	1	2	3	4	5	6	7	8	9	10	11	12	13	14	15	16	17	18	19	20	21	22
PLANETE: SOLEIL	*														BALANCE															*
LUNE	♎	♏	♏	♏	♐	♐	♑	♑	♒	♒	♒	♓	♓	♈	♈	♉	♉	♊	♊	♊	♋	♋	♌	♌	♍	♍	♍	♎	♎	♏
MERCURE	*			BALANCE													*	*					SCORPION							*
VENUS	*														BALANCE												*	*	1	*
MARS	*			CANCER				*	*						LION															*
JUPITER	*			LION				*	*						VIERGE															*
SATURNE	*														VIERGE															*
URANUS	*														SCORPION															*
NEPTUNE	*														SAGITTAIRE															*
PLUTON	*														BALANCE															*

1 SCORPION

	ANNEE 1980																													
	Mois de SEPTEMBRE								Mois d'OCTOBRE																					
JOUR DE NAISSANCE ➧ / PLANETE	23	24	25	26	27	28	29	30	1	2	3	4	5	6	7	8	9	10	11	12	13	14	15	16	17	18	19	20	21	22
SOLEIL	*														BALANCE															*
LUNE	♓	♓	♈	♈	♈	♉	♉	♊	♊	♋	♋	♋	♌	♌	♍	♍	♎	♎	♎	♏	♏	♐	♐	♑	♑	♑	♒	♒	♓	♓
MERCURE	*			BALANCE				*	*									SCORPION												*
VENUS	*			LION													*	*						VIERGE						*
MARS	*			SCORPION																							*	*	1	*
JUPITER	*													VIERGE																*
SATURNE	*			VIERGE				*	*					BALANCE																*
URANUS	*													SCORPION																*
NEPTUNE	*														SAGITTAIRE															*
PLUTON	*													BALANCE																*

1 SAGITTAIRE

	ANNEE 1981																													
	Mois de SEPTEMBRE								Mois d'OCTOBRE																					
JOUR DE NAISSANCE ➧	23	24	25	26	27	28	29	30	1	2	3	4	5	6	7	8	9	10	11	12	13	14	15	16	17	18	19	20	21	22
PLANETE SOLEIL	*														BALANCE															*
LUNE	♋	♌	♌	♍	♍	♍	♎	♎	♏	♏	♐	♐	♑	♑	♑	♒	♒	♓	♓	♈	♈	♉	♉	♉	♊	♊	♋	♋	♌	♌
MERCURE	*			BALANCE				*	*						SCORPION												*	*	1	*
VENUS	*				SCORPION												*	*						SAGITTAIRE						*
MARS	*														LION															*
JUPITER	*														BALANCE															*
SATURNE	*														BALANCE															*
URANUS	*														SCORPION															*
NEPTUNE	*														SAGITTAIRE															*
PLUTON	*														BALANCE															*

1 BALANCE

		ANNEE 1982																													
		Mois de SEPTEMBRE								Mois d'OCTOBRE																					
	JOUR DE NAISSANCE ➧	23	24	25	26	27	28	29	30	1	2	3	4	5	6	7	8	9	10	11	12	13	14	15	16	17	18	19	20	21	22
	SOLEIL	*														BALANCE															*
	LUNE	♐	♐	♑	♑	♑	♒	♒	♓	♓	♈	♈	♈	♉	♉	♊	♊	♋	♋	♌	♌	♌	♍	♍	♎	♎	♏	♏	♏	♐	♐
	MERCURE	*														BALANCE															*
	VENUS	*			VIERGE													*	*					BALANCE							*
PLANETE	MARS	*			SCORPION				*	*						SAGITTAIRE															*
	JUPITER	*														SCORPION															*
	SATURNE	*														BALANCE															*
	URANUS	*														SAGITTAIRE															*
	NEPTUNE	*														SAGITTAIRE															*
	PLUTON	*														BALANCE															*

	ANNEE 1983																													
	Mois de SEPTEMBRE								Mois d'OCTOBRE																					
JOUR DE NAISSANCE ➧	23	24	25	26	27	28	29	30	1	2	3	4	5	6	7	8	9	10	11	12	13	14	15	16	17	18	19	20	21	22
PLANETE: SOLEIL	*														BALANCE															*
LUNE	♈	♈	♉	♉	♊	♊	♊	♋	♋	♌	♌	♍	♍	♍	♎	♎	♏	♏	♐	♐	♐	♑	♑	♒	♒	♓	♓	♈	♈	♈
MERCURE	*			VIERGE													*	*					BALANCE							*
VENUS	*				LION												*	*					VIERGE							*
MARS	*			LION				*	*							VIERGE														*
JUPITER	*																SAGITTAIRE													*
SATURNE	*															SCORPION														*
URANUS	*																SAGITTAIRE													*
NEPTUNE	*																SAGITTAIRE													*
PLUTON	*															BALANCE														*

Interprétation des rencontres planètes/signe

Le Soleil

Le Soleil a une influence sur la totalité de la personnalité astrologique. Il met en valeur le signe, comme peut le faire un projecteur, sans s'arrêter à un plan précis.

Il y a peu de chose à dire sur un Soleil définitivement noble, chaleureux, indispensable, bienveillant et réconfortant, porteur de tous les attributs que l'on souhaite trouver chez l'homme-symbole.

Peut-être faut-il simplement prendre garde à des excès de « chauffe » qui peuvent transformer ces dispositions positives en indispositions négatives.

Le Soleil dans le Bélier

Les qualités d'enthousiasme, d'élan et de décisions rapides du Bélier seront amplifiées. Les défauts d'impatience, de révolte et d'esprit d'indépendance exagéré seront cependant plus portés à des créations qu'à des destructions, tout en étant accentués.

Le Soleil dans le Taureau

Les qualités de patience, de courage et de stabilité du Taureau seront ennoblies et serviront à des actes généreux. Les défauts d'égoïsme et d'excessive matérialité seront amplifiés mais pourront peut-être servir à des réalisations solides.

Le Soleil dans les Gémeaux

Les qualités d'intelligence, de souplesse et de savoir-faire des Gémeaux seront accentuées. Les dangers d'instabilité et de caprice seront multipliés, ce qui ne sera peut-être pas toujours bénéfique tout en étant très riche de créativité et d'originalité.

Le Soleil dans le Cancer

Les qualités de délicatesse, de sensibilité généreuse, les aptitudes à la réflexion et à l'analyse seront mises en valeur. Par contre les dangers d'imaginations trop fécondes, d'extrême émotivité, seront amplifiés, ce qui peut être productif au niveau des idées et des sentiments, mais générateur d'inquiétudes permanentes.

Le Soleil dans le Lion

Les qualités de confiance en soi, de courage et de force seront affirmées, ce qui permettra des réussites spectaculaires. Les dangers de narcissisme et d'autoritarisme seront eux aussi amplifiés, ce qui peut donner des résultats effrayants de dictature dans des réussites foudroyantes.

Le Soleil dans la Vierge

Les qualités de patience, de logique, d'intelligence prudente seront mises en valeur, ce qui peut donner d'excellents résultats dans le domaine professionnel. Les dangers d'extrême minutie, de réserve et de raison pure au détriment des sentiments seront également amplifiés ; ce sera le plan des activités qui sera le bénéficiaire de ces augmentations de puissance.

Le Soleil dans la Balance

Les qualités vénusiennes qui donnent à la Balance tant de charme, d'équilibre et de compréhension seront merveilleusement mises en valeur. Les défauts d'extrême « passivité » seront exagérés ; mais peut-on reprocher à un être de préférer l'amour à la guerre et les « bons arrangements » aux « mauvais procès » ?

Le Soleil dans le Scorpion

Les qualités de « forces profondes », d'instincts purs mais aussi de créations puissantes seront amplifiées. Les défauts, inhérents à la tendance du Scorpion de vouloir aller encore plus loin dans les « profondeurs » de son âme et de sa sexualité, seront eux aussi renforcés ; mais de ces plongées dans les abîmes et les enfers peuvent naître des œuvres originales et un peu démoniaques.

Le Soleil dans le Sagittaire

Toutes les qualités de générosité, de loyauté et d'esprit d'initiative seront amplifiées. Les défauts d'extrême indépendance et d'évasion à tout prix, seront eux aussi exagérés d'où des problèmes de stabilité ; mais en échange, ces impératifs d'être toujours ailleurs peuvent déboucher sur des aventures extraordinaires et des découvertes pittoresques.

Le Soleil dans le Capricorne

Les qualités de sérieux, de calme et de froide intelligence seront consolidées. Les défauts de trop de sérieux, trop de calme et trop de froideur dans les raisonnements et les sentiments, seront « gelés » par un Soleil trop chaud ; d'où une intelligence trop lucide, tellement clairvoyante qu'elle sera intolérante.

Le Soleil dans le Verseau

Les qualités de vivacité et d'originalité seront éclairées d'un jour nouveau ; des innovations et des excursions dans des domaines révolutionnaires seront donc à prévoir. Les défauts, d'enthousiasme excessif et de rébellion à toutes les disciplines, seront élargis ; des problèmes d'angoisse, de révolte intérieure sont à craindre, mais en même temps cet approfondissement dans le monde des « évasions » peut apporter des découvertes originales.

Le Soleil dans les Poissons

Les qualités d'intuition, de sensibilité et de délicatesse fortement poétisée seront enjolivées, enluminées et acquerront un miroitement exceptionnel. Les défauts d'extrême émotivité seront enfiévrés ; cette exagération apportant une angoisse diffuse mais aussi des possibilités d'approfondissement psychologique.

La Lune

La Lune dans le Bélier

La Lune toute femme, toute sensible, faussement vierge, faussement pudique, n'a pas fini de troubler le Bélier, viril, sûr de lui et peu enclin aux aspirations romantiques.

Une dualité dans les idées et les sentiments sera à craindre. Le Bélier, toujours impulsif et avide de nouveautés, tombera souvent dans les pièges d'une Lune faisant miroiter mille fantaisies et mille voluptés ; les vibrations métaphysiques ne sont guère supportées par le Bélier plus concret qu'imaginatif.

Cependant la Lune peut, à l'occasion d'un bon quartier, donner des ailes au Bélier qui s'envolera vers des horizons nouveaux, dans des voyages, des aventures et des poursuites autour du monde.

La Lune dans le Taureau

Les effets de la Lune seront très puissants sur le Taureau. Celui-ci possède une sensualité à fleur de peau et les influences toutes en nuances de la Lune l'exciteront. Des aptitudes pour les arts, et pour tout ce qui se touche, se mange et se boit des yeux et du cœur : sculpture, peinture, poésie, musique,... sont à prévoir.

Le Taureau sera tout émoustillé par les propositions évanescentes de la Lune ; leurs dialogues seront poétiques, sans violences, tout de charme et de simplicité.

Le Taureau pourra craindre une exagération de sa sensualité et une tendance à se laisser bercer dans une passivité trop langoureuse.

La Lune sera bonne conseillère par ses intuitions et ses imaginations ; elle pourra permettre au Taureau de faire des acquisitions matérielles, inattendues et inédites, dont il est friand.

La Lune dans les Gémeaux

La Lune apportera aux Gémeaux des insatisfactions intellectuelles et des inquiétudes poétiques. La Lune a des atouts magiques pour faire rêver, faire voyager en imaginations et faire des promesses rarement possibles... on dit bien « promettre la Lune » ! Or les Gémeaux, avides de vibrations, toujours à l'affût des moindres excitations, seront ravis d'écouter la Lune et tant pis pour eux, s'ils ne sont pas assez prudents pour ne la croire qu'à moitié. Les tendances à la fantaisie, aux caprices, aux vagabondages intellectuels et sentimentaux seront amplifiées.

Les Gémeaux flirtant avec la Lune seront encore plus séduisants mais encore plus fatigants par des excès de mobilité et d'inquiétude.

La Lune dans le Cancer

La Lune, astre-mère, planète-nourrice, apportera au Cancer

de nombreuses satisfactions. Les qualités cancériennes de sensibilité et de générosité seront amplifiées.

Tout ce que le Cancer aime : son foyer, sa maison, son cocon familial... sera protégé par une Lune douce et tendre.

Peut-être le Cancer sentira-t-il parfois des démangeaisons de voyages dans des directions infinies, peut-être sentira-t-il des vagues à l'âme difficiles à définir ! La Lune aime jouer avec la sensibilité des signes qu'elle visite et celle du Cancer est tellement facile et agréable à exciter, qu'elle ne se privera pas de se faire encore plus magnétique.

La Lune dans le Lion

La Lune jouera à la Marquise et à la Mondaine lorsqu'elle sera abritée par le Lion. Toutes les qualités du Lion, noblesse de cœur et d'esprit, largesse de sentiment et d'enthousiasme élégant, seront ennoblies.

Les énergies seront mobilisées pour de grandes aventures et de belles initiatives. Le danger est que la Lune, toujours ensorceleuse, emmène le Lion dans des voyages au bout de l'infini, là où il n'y a rien que du rêve et des illusions. Mais le Lion aime être le spectateur et l'acteur de son propre théâtre, et la Lune, complice, sera la Muse de contes et de fables à dormir debout.

Le danger est que la Lune trop flatteuse fasse croire au Lion qu'il est le plus beau en Psyché.

La Lune dans la Vierge

La Vierge se sentira toute romantique et recevant la Lune.

Ses qualités de logique et de précision en souffriront car rien n'est moins raisonnable que les inspirations et les intuitions des influences lunaires.

La sensibilité, souvent réservée et cachée de la Vierge, sera dynamisée par le flou des ondes et des clairs-obscurs de Dame Lune. La Vierge aura besoin de se dévouer, d'être humainement proche des souffrances et des problèmes d'autrui.

Les tendances féminines seront développées ; chez un homme-Vierge, cela se traduira par du raffinement dans le comportement, de la délicatesse dans les propos et dans la manière d'aimer. Le danger est que la Lune, trop éthérée et trop passive, « dévirilise » par des excès de sensibilité un Vierge déjà fragile de naissance.

La Lune dans la Balance

La Lune sera une merveilleuse amie pour l'homme et la femme Balance. Elle sera une confidente et une conseillère pleine de délicatesse et de générosité. En effet les qualités « féminines » de la Lune s'harmonisent parfaitement avec le rythme de vie de la Balance, souvent calme, serein et empreint d'affectivité.

La Lune annonce une quiétude, un état de non-violence, une passivité même, qui correspondent bien aux souhaits de l'être Balance. C'est ainsi que leurs dialoques permettront des créations littéraires, poétiques, artistiques.

Le domaine affectif de la Balance se trouvera auréolé de tendresse et de complicité amoureuse.

Il y a, dans l'apparition de la Lune dans le ciel de la Balance, plus qu'une invitation à la douceur de vivre et à l'épanchement de l'affectivité, il y a aussi des promesses de créations et de récréations pour la sensibilité.

La Lune dans le Scorpion

La sensibilité de la Lune s'entend assez mal avec la violence des instincts et l'absolu des passions scorpionesques. Le ménage sera difficile et sujet à des inquiétudes et à des obsessions dont le Scorpion ne sortira pas vainqueur. Cependant, la Lune donnera un étrange pouvoir au Scorpion ; son magnétisme naturel sera excité par les ultra-ondes du fluide lunaire si bien que des aptitudes étranges de médiumnité et de clairvoyance sont à envisager.

La sexualité du Scorpion sera colorée de tendresse et de romantisme, mais curieusement ces comportements seront suivis d'intenses et profondes crises d'érotisme.

Il sera grisant d'être aimé d'un Scorpion habité par la Lune ; mais il sera dangereux de l'aimer sous peine de phantasmes et de morsures.

La Lune dans le Sagittaire

Le Sagittaire vit une perpétuelle dualité entre laisser vivre ses forces vives « en extérieur » et satisfaire ses besoins de « vie intérieure ».

La Lune sera une Muse délicate et une inspiratrice romantique pour permettre au Sagittaire de réaliser à la fois ses rêves de grandes évasions et de grands espaces et ses désirs de monologues avec les silences de son âme.

La Lune apporte, en rendant visite au Sagittaire, un oxygène nouveau, une espérance d'infini et une quiétude bénéfique.

Peut-être le Sagittaire, dans ses contacts avec l'absolu du monde des idées et des sentiments, se sentira-t-il emporté par une foi religieuse, ou une vocation de missionnaire.

Les chemins de la Lune sont quelquefois impénétrables !

La Lune dans le Capricorne

Le Capricorne n'est pas facile, a priori ; il est austère, sérieux, peu enclin à faire preuve de romantisme et surtout il n'avoue pas sa sensibilité. La Lune, en s'imposant au Capricorne, ouvre une porte, celle du rêve, de l'imagination, de la sensibilité vivante et chaude... Le Capricorne s'en trouve troublé, inquiet au point parfois d'en perdre son flegme. Mais il préfère souvent prendre la fuite devant ces multiples ondes lunaires, qu'il reçoit comme s'il s'agissait d'une pelote d'épingles.

Cependant la Lune sera bienfaisante, même si les apparences restent silencieuses et secrètes. Le Capricorne, s'il se sent aimé et accepte d'être aimé, trouvera en la Lune une amie qui lui apprendra la tendresse.

La Lune dans le Verseau

La Lune donne des images, des miroirs, des excuses, des imaginations au Verseau. C'est ainsi qu'il sera heureux d'avoir la possibilité de rêver sa vie plutôt que de la vivre.

L'association Lune et Verseau permettra des réalisations où la sensibilité et l'affectivité domineront ; il peut s'agir de travaux humains et généreux, d'œuvres littéraires et poétiques ou tout simplement d'assumer une vie de couple dans laquelle les valeurs spirituelles seront préférées aux attractions passionnelles.

Un danger peut naître à l'occasion d'un déphasage entre le réel et l'irréel ; en effet la Lune apporte son flou et son inconscience et le Verseau apporte son imagination inquiète et ses besoins d'indépendance ; l'association de ces deux héritages accentuera les tendances « aventureuses » du Verseau jusqu'à le pousser dans quelque abîme psychologique.

La Lune dans les Poissons

La Lune adore le signe des Poissons et les Poissons se laissent aisément envoûter par elle. C'est mieux qu'une communion ou une fusion de valeurs identiques faites de douceur, de sensibilité à fleur d'âme, de romantisme et de volupté à l'eau de Lune... c'est une confusion !

L'association des influences lunaires et qualités et défauts des Poissons donne des dons de voyance, de l'intuition à haute dose et des aptitudes certaines pour la poésie.

La Lune accentue les tendances naturelles des Poissons à se laisser bercer par la vie et ses mirages. Les Poissons sont en extase devant Dame Lune et de ces moments privilèqiés où le conscient et l'inconscient se fondent, des révélations et des créations hors de l'ordinaire peuvent être obtenues.

Mercure

Mercure dans le Bélier

Mercure se fait Procureur quand il se trouve dans le Bélier. Les aptitudes « intelligentes », soit ses facultés rationnelles, sa vivacité d'esprit, sa compréhension, seront aiguisées par l'extrême savoir-faire et savoir-dire de Mercure.

La parole sera à l'attaque plus qu'à la défense ; les réparties, les à-propos seront bien affûtés. Mercure, curieux de tout, enthousiaste et ouvert à toutes les nouveautés, sera pour le Bélier, toujours prêt à prendre les armes et à partir en guerre même contre des moulins à vent, un mentor, un réacteur, un maître à créer et à réaliser.

Le Bélier risquera de se retrouver pourfendeur de vérités, éloquent en diable et inventeur d'histoires pas toujours tout à fait vraies.

Mercure dans le Taureau

Le Taureau, épicurien, tactile, sensuel et terrestre apprécie Mercure qui lui apporte des possibilités de comprendre ses jouissances. Mercure, de son côté, est à l'aise chez le Taureau car ils ont en commun le goût des belles choses, des belles formes et des bons mots.

Mercure donnera des idées à la « main » du Taureau qui aime toucher plus que parler et palper plus qu'effleurer.

L'esprit du Taureau se fera plus vif, plus souple mais aussi plus concret. Mercure sera l'esprit à tout faire d'un Taureau heureux d'être pris en charge et satisfait de pouvoir rêvasser ses sensations.

Mercure dans les Gémeaux

Mercure, dieu-voyageur, protecteur des commerçants et des voleurs, donne des idées astucieuses, rusées et spirituelles aux Gémeaux qui n'attendent que cela pour se montrer encore plus habiles dans l'art de séduire et dans le génie de promettre mille et une choses qu'ils sont bien en peine de pouvoir accomplir toutes.

Mercure n'est pas menteur mais joueur, et il donne aux Gémeaux une habileté diabolique pour prouver que les vérités sont fausses et que les mensonges sont vrais. Ces aptitudes sont excellentes pour les avocats, les vendeurs et les journalistes.

Il y a de l'humour, de la finesse, de l'astuce et du flair dans l'air lorsque Mercure interviewe les Gémeaux à l'occasion d'un de ses passages.

Mercure dans le Cancer

Le Cancer a beaucoup d'imagination, il est sensible et porté aux rêves ; Mercure lui en donnera à revendre. En effet, Mercure, de passage chez le Cancer, provoquera des dialogues à n'en plus finir sur les sentiments, les émotions, les grandes idées, les problèmes humains, les souffrances d'autrui, les grandes passions muettes... et le Cancer adore cela ; pouvoir vibrer et vivre, dans le confort de sa demeure, au rythme de ses rêveries et de ses songes.

Mercure apportera des qualités de savoir-faire développées au Cancer, qui pourra s'adapter à toutes les ambiances, à toutes les atmosphères, pourvu qu'elles soient à coloration affective, ce qui est favorable à nombre de professions où les contacts humains sont de rigueur.

Mercure donnera des idées de voyages au Cancer ; il les réalisera sur des coups de tête et des coups de cœur ; il faut, pour que le Cancer s'anime, un amalgame subtil de multiples sentiments : curiosité, tendresse, imagination, sécurité, esprit de famille, humour... sur fond de mélancolie.

Mercure dans le Lion

Mercure n'est pas seulement ailé, il a également du bon sens et de la volonté. Le Lion, déjà noble et impérieux, courageux et volontaire, apprécie Mercure puisqu'il lui permet d'être encore plus intelligent et plus efficace.

Mercure est la subtilité de la volonté du Lion, la souplesse de ses énergies, et l'imagination de ses lucidités.

De grandes et de belles réalisations sont à prévoir lorsque Mercure et le Lion refont le monde, lors de leur rencontre.

Ce tandem aime jouer, c'est là leur moindre défaut ; il y aura donc des joies et des inquiétudes, des passions et des craintes, des victoires et des défaites « somptueuses » à espérer. Qu'il s'agisse de jouer à la roulette, jouer à l'amour ou jouer sa vie, le Lion sera toujours prêt, pourvu qu'il soit le vainqueur, et il peut l'être.

Mercure dans la Vierge

Il s'agit d'une excellente combinaison à base de logique et d'intelligence claire et positive. Mercure donne à la Vierge des outils de travail bien classés, bien étiquetés, bien pratiques... et la Vierge est ravie de pouvoir manipuler dans sa tête et dans ses tiroirs, les méthodes, les systèmes et les règles que Mercure lui propose. Peut-être la Vierge en profitera-t-elle pour être encore plus critique et encore plus tatillonne !

La vie de la Vierge risque quelques métamorphoses lorsque Mercure se présente ; en effet, la prudence et la patience de la Vierge seront agacées par la subtilité et l'éloquence de Mercure. Deux solutions sont à envisager : ou bien la Vierge accepte une collaboration « intelligente », et des résultats encyclopédiques sont à prévoir ; ou bien elle refuse de sortir de son trou de fourmi, et les belles influences mercuriennes resteront lettre morte. Tant pis alors pour les espérances de plume de la Vierge, pour ses rêves littéraires et pour ses souhaits d'homme ou de femme de lettres...

Mercure dans la Balance

Mercure se fait fléau sachant choisir le juste milieu lorsqu'il visite la Balance. Les qualités de modération, d'équilibre et de diplomatie de la Balance se trouveront très bien mises en valeur. Les idées seront claires et bien pesées, les sentiments lucides et bien réfléchis. Mercure apportera de l'esprit d'à-propos, de l'aisance dans les contacts et surtout une souplesse remarquable pour jongler avec les problèmes à résoudre, avec tout ce qui entrave le rythme harmonieux de la vie.

La Balance ne veut pas d'histoires oiseuses, louches et ténébreuses et Mercure lui sera d'un excellent conseil pour les éviter.

Des aptitudes poétiques, esthétiques et artistiques seront à prévoir car Mercure, optimiste, bel esprit, sensuel, mondain et plein de dons, apportera à la Balance, toujours disponible à quelques créations artistiques, un surcroît de sensibilité intellectuelle et une vision plus aérienne des choses de la vie.

Mercure dans le Scorpion

Le Scorpion a l'esprit tourné vers le magique, l'occulte et les ténèbres de l'âme humaine. Mercure sera la lanterne du Scorpion-Diogène. C'est ainsi que le Scorpion verra son intelligence se réveiller à de nouvelles idées, encore plus profondes que d'habitude. Ses aptitudes iront vers la psychologie, les sciences de l'au-delà, les travaux de laboratoire mi-chimie, mi-alchimie.

Les instincts souvent brutaux du Scorpion seront spiritualisés, ce qui peut provoquer des fantasmes, des visions, mais aussi des enthousiasmes passionnés.

Le danger réside dans un accroissement des facultés d'éloquence du Scorpion qui, magnétisées par un Mercure beau-diseur, fin-parleur, trempera sa langue dans du vinaigre et sa plume dans du vitriol, sous prétexte qu'il est doué pour dire des vérités qu'il est le seul à découvrir. Le Scorpion aura le flair d'un chien policier dans les promenades qu'il affectionne dans les labyrinthes de l'âme humaine.

Mercure dans le Sagittaire

Mercure a des idées et le Sagittaire veut voyager ; leur

entente sera celle que peut avoir une agence de voyage avec un client amateur de tour du monde. Le Sagittaire aura un esprit clair, logique, précis dans ses espérances. Il ne s'illusionnera pas, ni ne rêvera à des espaces lointains qui n'existent pas encore.

Il aura des aptitudes aux études, aux découvertes, aux aventures, mais bien réfléchies et bien orchestrées.

Mercure donnera la possiblité d'aller plus loin dans les connaissances souhaitées ; mais inversement si le Sagittaire est de mauvaise humeur, en fonction de quelques aspects dissonants, il retombera dans ses obsessions de classicisme et de « bonnes vie et mœurs ».

Mercure jouera à quitte ou double avec le Sagittaire : soit des envolées fantastiques, soit des enracinements ; soit des évasions de toutes disciplines, soit un emprisonnement aux traditions et aux corvées.

Mercure dans le Capricorne

L'alliance des qualités de Mercure et du Capricorne sera constructive. Les influences « intelligentes » de Mercure : vivacité d'esprit, subtilité, souplesse, savoir-faire, adaptabilité,... s'additionneront aux dispositions capricorniennes : patience, distance, sens pratique, ambition,... pour donner un comportement « en béton » fait de volonté lucide, de force de frappe tout en velours et d'orgueil souriant.

Toutes les réalisations sont possibles avec une telle combinaison ; le droit sera vu comme un outil absolu, la politique comme un atout majeur, l'instruction comme un jugement sans appel...

Des dangers résideront dans, justement, la puissance de l'association de ces deux séries de valeurs.

Toute l'intelligence du Capricorne sera dans sa tolérance ; là encore, Mercure pourra être de bon conseil.

Mercure dans le Verseau

Mercure se met au service des inventions, des originalités en tout genre, de tout ce qui est possible et même impossible lorsqu'il rencontre le Verseau. L'entente est immédiate mais électrique.

Mercure possède, malgré quelques grains de fantaisie et de folie douce, une bonne dose de sagesse et de logique ; or le Verseau les a perdues au gré de ses imaginations et de ses voyages au bout de la nuit ; c'est pourquoi, passés les premiers émois à haute teneur en spiritualité, les accords peuvent se détériorer : le Verseau sera trop bohème, trop volatil, trop aérien pour Mercure qui souhaite un peu de calme et de bon sens.

Cependant le Verseau, toujours aidé par un Mercure disponible et tolérant, après avoir inventé des révolutions, peut très bien prêcher la paix en se faisant missionnaire, prêcheur ou poète.

Mercure associé au Verseau représente soit « la bonne parole », soit « l'appel au peuple », soit enfin des « prêches dans le désert ».

Mercure dans les Poissons

Les Poissons ont tendance à ne voir que la face cachée des idées et des sentiments. Mercure retournera les miroirs si bien que le Poisson verra enfin plus clair dans ses raisonnements. Mais Mercure n'empêchera pas le Poisson de voir « derrière le miroir », là où il peut lire l'inconscient, déchiffrer les énigmes des profondeurs de l'âme.

Le danger est que le Poisson passe à travers le miroir ; en se dissolvant il perdra son intelligence tout en conservant peut-être ses dons de clairvoyance. De toute façon, la rencontre Mercure et Poisson sera magique, cosmique, chimérique.

Vénus

Vénus dans le Bélier

Vénus apporte de la tendresse et des sentiments romantiques alors que le Bélier est tout feu, tout flamme. La rencontre de ces deux composantes risque de provoquer des coups de foudre, des coups au cœur car des sentiments chauds et puissants auront besoin de vivre et de s'extérioriser par tous les moyens ; les déclarations seront enflammées mais de courte durée, les « mains sur le cœur » avec des promesses infinies de tendresse, seront réelles sur le moment mais vite envolées.

La sensualité sera ardente, flambante comme de l'amadou, les étreintes seront des fournaises... et le partenaire sortira de ces moments merveilleux, éteint, épuisé mais ravi.

L'amour pourra être un élément propulseur ; les sentiments deviendront alors des forces qui permettront nombre de réalisations.

Vénus dans le Taureau

Vénus apporte, à la patience et à la matérialité du Taureau, de la tendresse à fleur de peau, de l'épicurisme et une volupté toute de jouissance. La rencontre est très belle et permet des sentiments durables, complices et non exempts d'une certaine passion.

Attention cependant à des excès de jalousie et à un sens trop aiguisé de la propriété.

L'amour sera considéré comme une chose très importante, très absolue, à la limite parfois du supportable ; le partenaire risquera de se faire « manger » par la gourmandise amoureuse et sexuelle du Taureau. Les désirs physiques seront très importants et pourront se sublimer dans des dons pour l'esthétique et la plastique ; l'art est aussi une question de doigté !

Vénus dans les Gémeaux

Vénus aime s'amuser à l'amour et son compagnon Cupidon ne se lassera pas d'envoyer des flèches au signe des Gémeaux, tant celui-ci est friand de recevoir des piques et des vibrations amoureuses. C'est l'amour du hasard, le goût du flirt et les éternelles recherches de sensations nouvelles qui donnent aux Gémeaux leur charme et leur attrait mais aussi leur faiblesse. Tout est en nuances, en couleurs, en odeurs, en demi-teintes...

Mais dans cette combinaison, les sentiments amoureux seront rarement avoués, ils seront suggérés avec ironie et humour.

La sensualité sera spiritualisée ; peu de caresses, mais des promesses de voyages sentimentaux. Les désirs physiques passeront au second rang dans l'éventail des sensations ; l'esprit dominera le cœur et l'éphémère l'emportera sur le durable.

Vénus dans le Cancer

Vénus est toute romantique et toute sensible chez l'aimable Cancer toujours prêt à aimer, à se faire aimer et à donner de la tendresse en échange d'une compréhension amoureuse de chaque instant. Vénus aime le foyer, les ambiances douces et feutrées que propose le Cancer.

L'amour s'épanouira dans des canapés confortables, des coins de feu un peu nostalgiques. Attention à quelques envolées imaginatives dans l'expression des sentiments. L'âme cancérienne est toute nimbée de Lune et a besoin, pour se sentir exister, de contes à dormir debout.

La sensualité sera tendre, complice, quelquefois difficile par des excès de pudeur et de sensibilité inquiète.

Il est doux et délicat de se faire aimer par un Cancer donnant l'hospitalité à Dame Vénus.

Vénus dans le Lion

Vénus propose un spectacle son et lumière en s'installant en Lion. Les déclarations seront somptueuses et les sentiments rayonnants. Pas de médiocrité, pas de mesquinerie… l'amour avec un grand A. Tout est pour le meilleur et jamais pour le pire.

Les passions, car l'amour ne peut être que passionnel entre Vénus et Lion, sera exigeant lorsque Vénus l'accompagne ; sa sensualité sera chaude et puissante, soutenue par un besoin d'admiration ; le Lion ne peut aimer que ce qu'il admire.

L'amour sera vécu en qualité et en quantité avec une démesure raffinée et une noblesse majestueuse.

Vénus dans la Vierge

Vénus aura des difficultés à avouer ses sentiments en rencontrant la Vierge. Les passions, car elles existeront, seront réfléchies, calculées, mesurées et les désirs risqueront d'être enfouis dans quelques pudiques alcôves. L'amour sera raisonnable, ce qui peut permettre d'excellents mariages ; les éléments matériels seront prévus et il n'y aura pas de place pour les imprévus.

Mais Vénus possédant quelques tours de magie amoureuse, la Vierge ne sera pas à l'abri de redoutables fièvres sentimentales ; dans ce cas, comme une vague efface un château de sable minutieusement construit, toutes les belles résolutions de logique et de rationalité à toute épreuve s'évanouiront.

Une Vierge amoureuse peut être dangereuse, par les passions secrètes qui l'animent.

Vénus dans la Balance

Vénus se transforme en bonbon fondant tant elle est douce, tendre, attentionnée quand elle rencontre la Balance. L'amour sera tout de délicatesse et de compréhension. Un côté « constructif » existe lorsque Vénus s'associe à la Balance ; le souhait de créer un foyer, une « société amoureuse », l'emportera sur les satisfactions purement sensuelles.

Les sentiments, surtout lorsqu'ils sont teintés de sensualité, seront tus ; il faudra les deviner. Dans des scrupules, des flottements et des oscillations, les sentiments amoureux de la Balance risqueront de se diluer jusqu'au moment où le partenaire perdra patience en ne se sentant pas assez aimé.

Vénus dans le Scorpion

Ce n'est plus de l'amour mais de la rage amoureuse, de la morsure, des tragédies et du burlesque. Les sentiments que peut apporter Vénus, toute empreinte de douceur, se transforment en vitriol au contact du Scorpion. Les attractions seront puissantes et les ardeurs d'aimer et d'être aimé, impérieuses.

La sensualité sera brûlante, à la limite parfois du supportable surtout pour des partenaires à l'appétit sexuel léger. Il faut de la passion, des sentiments chauds, un zeste de drame pour que le cœur Scorpion soit heureux !

Rien n'est facile dans les amours Scorpion, surtout les ruptures ; on meurt aisément d'amour quand il y a un Scorpion dans les alentours du cœur !

Vénus dans le Sagittaire

Vénus ne sera pas toujours à l'aise en compagnie du Sagittaire car les ambiances amoureuses seront tièdes, mais entrecoupées de moments d'exaltation. Vénus aura du mal à supporter les exigences, l'orgueil, les ambitions du Sagittaire ; là où la tendresse s'imposerait, la main sur le cœur avec des déclarations de guerre amoureuse ; là où le corps à corps devrait être délicat, les baisers seront brûlants et les étreintes farouches.

Le Sagittaire a besoin d'aimer avec son imagination et ses idéalisations, il veut de la noblesse de cœur plus que de la sensualité.

Dans ce sens, il n'est pas impossible que Vénus apporte des armes au Sagittaire qui deviendra Chevalier ou Amazone, partant en croisade pour quelques amours généreux et lointains de préférence.

Vénus dans le Capricorne

Les sentiments ne seront pas avoués ; ils resteront silencieux, comme enfermés en une huître. Vénus sera bien au chaud chez le Capricorne mais elle ne pourra s'exprimer ; trop de pudeur, trop de réserve, trop de fausse froideur gêneront l'expression des sentiments amoureux.

La solitude sera préférée aux amours médiocres et journaliers. Il faut au Capricorne des sentiments originaux et « constructifs », à savoir que la fusion des cœurs et des corps doit être le prélude à quelque œuvre commune, où des intérêts financiers ne sont pas exclus. C'est ainsi que Madame Capricorne pourra devenir une merveilleuse complice, une efficace « éminence grise » pour son partenaire lorsque des conditions d'intelligence, de tendresse et de fidélité sont trouvées.

Vénus dans le Verseau

Vénus vivra des sensations originales et aériennes en rencontrant un Verseau. La délicatesse l'emportera sur les brutales étreintes et le raffinement de langage sera préféré aux déclarations enflammées. La passion peut exister mais elle sera spiritualisée par quelques idéaux. L'esprit l'emportera sur les sens lorsque Vénus apparaît chez un Verseau, ce qui donnera beaucoup de charme et de raffinement aux dialogues amoureux ; la sexualité ne sera pas évanouie pour autant mais plutôt cérébralisée ; à la limite le Verseau fera l'amour avec ses idées !

L'indépendance sera de rigueur pour que les sentiments amoureux subsistent chez un Verseau recevant Vénus. La liberté du corps sera exigée ; on ne peut mettre en cage un

Verseau, même si la cage est dorée !

Lorsque l'esprit est rassuré, le cœur est disponible, mais lorsque le cœur aime, l'inquiétude s'installe... D'où un perpétuel va-et-vient entre « j'aime, je n'aime plus... »

Vénus dans les Poissons

Un Poisson amoureux est indéfinissable ; il est affolé, inquiet, pris dans les mailles d'un filet qu'il s'est lui-même fabriqué. Vénus sera toute d'infinie tendresse en rendant visite au Poisson ; ils s'entendront silencieusement et délicatement pour donner des sentiments embués de romantisme, quelquefois mystiques mais toujours à haute dose de dualité et d'inquiétudes.

L'amour chez le Poisson est une merveille de compréhension en demi-teinte, de complicité et d'aveux rarement avoués ; les sentiments doivent être utiles à sauver le cœur, l'âme, l'esprit et aussi le corps... et Vénus sera très attentive à sauvegarder toutes ces qualités de délicatesse de son Poisson de passage.

Mars

Mars dans le Bélier

La force de frappe de Mars pourra s'exprimer avec plénitude dans le Bélier ; toutes les armes seront fourbies et prêtes à servir.

Le Bélier pourra envisager des actions guerrières de haute envergure et des réalisations en tout genre. Il y a une possibilité de devenir « héros » chez un Bélier recevant Mars.

La personnalité sera à la limite d'un demi-dieu, d'un grand homme ou d'un grand aventurier.

Toutes les aptitudes sont réunies : intrépidité, courage, audace mais aussi esprit de sacrifice, dévouement et engagement jusqu'au point de risquer sa vie.

Attention à des excès de violences et aux brutalités mal contrôlées. La fougue de Mars est quelquefois dangereuse.

Mars dans le Taureau

Les instincts du Taureau seront électrisés par la présence de Mars. Ils seront chauffés à blanc, prêts à se déchaîner, à se rompre, à vivre avec force et à mourir avec brutalité. Des colères seront possibles, l'esprit devenant belliqueux ; des incidents seront à craindre, la main étant prompte à dégainer.

Les énergies seront à l'état brut ; elles pourront être créatrices dans des réalisations demandant de la ténacité, de la force pour vaincre, de l'autorité pour dominer.

Mars fait de la force un culte qui trouvera chez le Taureau un temple. Le danger est que le culte de l'énergie conduise à de l'égoïsme, à de l'intransigeance et à de la brutalité gratuite.

Tout est dans la nuance des explosions de force et dans la manière dont l'arme est maintenue dans son fourreau, lorsqu'il n'est pas nécessaire de s'en servir.

Mars dans les Gémeaux

Le signe des Gémeaux n'est pas facile à vivre car il a souvent des difficultés à assumer ses inquiétudes. Lorsque Mars apparaît avec ses armes, mêmes blanches, il est quelquefois dangereux de s'approcher trop près du Gémeaux à qui il rend visite. Les déclarations d'amitié cacheront des déclarations de guerre, et les compliments des vilenies.

La parole sera, pour le Gémeaux accompagné de Mars, une arme redoutable ; la critique deviendra une habitude et rien ni personne ne résistera au scalpel que peut devenir, pour le Gémeaux doué, son intelligence.

Mars permettra aux Gémeaux de devenir d'excellents critiques littéraires, des chansonniers et des hommes de droit.

Mars dans le Cancer

Les qualités martiennes sont mal à l'aise chez le Cancer. Trop de passivité et de retenue empêcheront les armes de servir. Les idées de conquêtes peuvent exister, les souhaits de triomphes peuvent bouillonner mais il n'y aura pas ou peu de vraies déclarations de guerre et de réelles prises de position.

La sensibilité et la modestie du Cancer ne permettent pas aux idées et aux sentiments d'être sabre au clair, aussi les souhaits de vengeance resteront lettre morte et les désirs d'entreprendre et de réussir resteront discrets. Les armes seront rangées dans des arrière-pensées ; elles jailliront à l'occasion d'un excès de sensibilité, accompagnées de crises de larmes, de cris de rage et de désespoir.

Le Cancer abandonne trop vite le combat pour gagner.

Mars dans le Lion

Mars gagne ses galons de chevalier en côtoyant le Lion. Les forces brutales de Mars seront ennoblies et serviront à gagner des batailles de tout ordre : matérielles, financières, sociales, politiques, sentimentales... Il y a des conquêtes à glaner lorsque Mars gravite dans le signe du Lion ; les triomphes seront orgueilleux et bourrés de panache.

Les effets théâtraux plaisant au Lion, il pourra obtenir des médailles et des récompenses spectaculaires qui lui iront à ravir.

Attention à des exagérations nées d'un orgueil et d'une ambition mal contrôlés. Il est vrai qu'il est difficile de gagner sur un Lion aidé de Mars ; dans une telle conjoncture la victoire est dans la fuite, comme en amour.

Mars dans la Vierge

Les qualités de travail, le sens des responsabilités, les aptitudes de « fourmis » travailleuses de la Vierge, peuvent être aidés par Mars lorsqu'il est de bonne humeur. Tout est question d'aspects. Un souffle nouveau, original, plein d'envergure et de possibilités permettra à la Vierge des réalisations exceptionnelles.

Attention à quelques déchaînements de violence ; les colères de la Vierge seront froides, condensées, elles pourront faire très mal surtout qu'elles seront réfléchies ; les colères seront alors rouge-sang, titanesques mais heureusement vite attiédies.

Mars permettra à la Vierge de travailler avec force et opiniâtreté à des travaux obscurs ; les armes martiennes seront alors la plume, les livres, la patience.

Mars dans la Balance

La Balance est l'arme douce de Mars ; cette planète permettra des résultats « tout en douceur », des conquêtes « tout en sourire », des triomphes « sur du velours », grâce à l'esprit de modération, aux recherches de juste milieu et aux souhaits de non-violence de la Balance.

Mars acquerra des sentiments humains, il mettra l'arme au pied en lui rendant visite. Peu de prises d'armes violentes, peu de cliquetis de duel, mais des moments de diplomatie et des pauses de négociations.

Mars dans le Scorpion

Les instincts seront exacerbés lorsque Mars croisera le fer avec le Scorpion à l'occasion d'un passage. Les forces toujours prêtes à vivre du Scorpion trouveront des motifs de luttes et de drames.

Il n'y a pas de tendresse dans cette rencontre, seulement des forces occultes prêtes à jaillir et à mettre le feu aux moindres désaccords qui ne demandent nullement à être ainsi envenimés.

Il y a souvent une odeur d'auto-destruction dans les rapports entre Mars et le Scorpion, l'un apportant les armes, l'autre acceptant le duel avec masochisme.

Des résultats foudroyants peuvent être envisagés, lorsque Mars a grâce aux yeux du Scorpion, à l'occasion d'un bon aspect.

Les rouages profonds, les mécanismes puissants des instincts permettent des réalisations hors du commun, lorsqu'ils sont mis en marche par un Mars intelligent ; ce sera la puissance à l'état pur et les réussites à l'état absolu.

Mars dans le Sagittaire

Mars deviendra une force pensante et agissante en recontrant le Sagittaire. Mais les buts poursuivis ne seront pas à « la guerre » mais à « l'aventure ». Mars sera au service des explorations nobles, des chasses non à courre mais aux idées lorsque le Sagittaire le reçoit.

Des réalisations puissantes peuvent être envisagées car Mars apporte de l'audace, des forces neuves et un courage essentiel.

Quelques fougueuses péripéties ne sont pas exclues, à base de coups de folie et de chevauchées fantastiques.

L'Odyssée d'Homère a certainement été vécue grâce à la rencontre bénéfique de Mars dans un Sagittaire accueillant.

Mars dans le Capricorne

Mars est l'arme absolue qui permet au Capricorne de réaliser ses espérances de conquêtes et ses souhaits d'être le premier... quelquefois par personne interposée. Le Capricorne pourra, grâce aux forces vives et quelquefois brutales de Mars, atteindre des sommets élevés.

Attention à des excès de rage rentrée, de colère froide et de passion silencieuse ; Mars est fougueux, volontaire, irrésistible dans les manifestations de ses poussées animales et il faudra que le Capricorne ne se laisse pas envahir par le torrent des énergies libérées.

L'esprit sera aux résultats, le cœur à la générosité et le corps aux dépenses d'énergie. Mars sera la cuirasse qui permettra au Capricorne de vaincre fermement et sûrement.

Mars dans le Verseau

Mars permettra au Verseau de partir en voyage, de franchir des montagnes, de décoller vers des pays inconnus. Mars est l'outil de travail d'un Verseau curieux de découvertes, avide de connaissances nouvelles. Mars donnera l'enthousiasme qui permet de renverser les obstacles et, surtout, il donnera le courage de se libérer des astreintes et des contraintes dont le Verseau s'entoure parfois comme d'une protection.

L'instrument de la liberté, chère au Verseau, sera un Mars bien canalisé, bien affûté, bien maîtrisé. Il ne faut pas que Mars soit laissé à son libre arbitre car ses forces instinctives sont dangereuses comme peuvent l'être les griffes d'un fauve qui se croit agressé.

Attention aux désillusions sentimentales et aux idéalisations abîmées, car Mars donnera des armes redoutables au Verseau qui en sera victime et dans ce cas, gare aux adversaires.

Mars dans les Poissons

Le Poisson se fera requin avec les armes de Mars ; il les prendra et les utilisera avec virulence à condition que sa sensibilité soit blessée. Sinon, lorsque son cœur, son âme et son esprit sont en repos d'une quelconque inquiétude, Mars pourra faire miroiter toutes les armes de l'Olympe, le Poisson restera dans le flou de ses rêves et de ses incertitudes.

Mars ne se sera pas dangereux lorsqu'il s'associe au Poisson ; il affûtera ses armes, les préparera pour d'autres combats. Le danger résidera dans le bouillonnement des forces profondes du Poisson ; si elles se réveillent pour quelque motif, Mars répondra prêt à prendre les armes, même s'il s'agit de partir en guerre contre des moulins à vent.

Jupiter

Jupiter dans le Bélier

Il existe une bonne complicité entre les talents de Jupiter et les tendances du Bélier. Ce dernier aime agir, faire du bruit, exister à coups de courage et d'initiatives originales ; Jupiter épanouira son champ d'action et lui donnera un dynamisme « élargissant ».

C'est ainsi que les projets du Bélier, s'ils touchent le domaine des « autres », seront très bien considérés.

L'esprit du Bélier se fera « mondain », c'est-à-dire courtois, aimable — ce qui n'est pas toujours le cas compte tenu de sa fougue toujours prête à exploser. Jupiter permettra que le Bélier réalise ses ambitions avec un certain panache.

Les ambiances seront extérieures, épanouies, généreuses de nouveautés. Une popularité sera à envisager au sein de cercles amicaux ou de milieux d'affaires.

Jupiter dans le Taureau

Les appétits, souvent gloutons sans pour cela cesser d'être épicuriens, du Taureau trouveront à s'épanouir avec Jupiter.

Taureau sera à la fête de ses ambitions et de ses besoins d'exister, à coup de bonnes et belles jouissances. Qu'il s'agisse de résultats matériels, de conquêtes sociales, de satisfactions intellectuelles ou artistiques, le Taureau peut être optimiste car Jupiter sera un dieu protecteur et tolérant.

Ce ne sera pas dans des ambiances secrètes et silencieuses que le Taureau évoluera, car Jupiter n'apprécie pas les monologues. Le Taureau doit s'attendre à vivre « en extérieur » lorsqu'il a la chance d'abriter Jupiter, ce qui ne l'empêchera pas de rester économe de sa générosité. Le Taureau, malgré Jupiter, ne deviendra pas prodigue !

Jupiter dans les Gémeaux

Jupiter proposera aux Gémeaux des voyages, des rencontres, des moyens multiples de communication. Le domaine des idées, des livres et des arts sera très bien favorisé par un Jupiter curieux de tout et toujours prêt à connaître de nouveaux horizons.

Les qualités de diplomatie, d'habileté, voire de ruse des Gémeaux trouveront à s'exercer « en extérieur », dans des ambiances amicales, des cercles, des réunions de tout ordre. Jupiter donnera des possibilités d'épanouissement et des sources d'expression. Les milieux « mondains » seront appréciés et les Gémeaux se conduiront avec élégance et raffinement dans toutes les situations qui ne manqueront pas de se présenter.

Jupiter jouera au maître de cérémonie d'un Gémeaux un peu snob, un peu dandy, mais toujours charmant.

Jupiter dans le Cancer

Jupiter jouera au « pater familias » ; il favorisera tout ce qui touchera le domaine de la « maison » du Cancer. Il apportera de la tranquilité, de la paix et la possibilité de satisfaire les souhaits de confort.

Jupiter sera « bon père », mais aussi « bon prince », car il permettra que le Cancer réalise ses rêves d'épanouissement qui ne sont pas toujours transcendants ni excessifs. Jupiter autorisera la chaleur d'un coin de feu, le rayonnement d'une soirée intime ou d'une soirée amicale, tout ce qui plaît avant tout au Cancer, mieux que des aventures mondaines et des relations multiformes.

Il existe des vertus chez le Cancer qui sont « confortables » et Jupiter, bien qu'étant « planète-publique » par définition, ne refuse pas les intimités chaleureuses et les sagesses domestiques.

Jupiter dans le Lion

Jupiter est très généreux de ses avantages lorsqu'il rencontre le Lion. C'est ainsi qu'un amalgame de qualités « extraverties » vont se superposer : ambition, générosité, orgueil et confiance en soi...

Il y aura un côté « leader » chez le Lion dialoguant avec Jupiter, rien ne lui résistera dans le domaine des contacts et des communications. Le Lion sera « superbe et généreux » en évoluant dans des sphères élevées, dans des ambiances où il pourra briller, être en scène, paraître et régner en maître. Les résultats seront apparents, non dénués de quelque vanité. Le Lion, poussé par Jupiter, n'aura pas le triomphe silencieux.

Distingué, séduisant, miroitant, quelquefois imbu de sa splendeur, le Lion jupitérien avancera dans la vie escorté de suiveurs plus que d'égaux.

Jupiter dans la Vierge

Jupiter jouera au « détective » avec les qualités de méthode et de rangement de la Vierge. La Vierge gagnera des atouts d'ampleur et d'épanouissement qui lui serviront à être encore plus raisonnable et encore plus « classique ». Le monde extérieur sera apprécié, à petites doses, dans la mesure où il peut apporter des valeurs sérieuses et surtout ne pas empiéter sur la chère tranquillité d'esprit et de cœur indispensable au bon équilibre de la Vierge. C'est ainsi qu'elle pourra bénéficier de « l'oxygène » de Jupiter pour tenter de s'exprimer par des travaux sociaux, publics, communautaires.

Les travaux de plume seront facilités, les ouvrages de longue haleine à base de classement d'idées et de découpage de sentiments seront aidés par une intelligence lucide, ouverte à toutes nouveautés ce qui sera une exception pour le mental virginien dont le « champ de conscience » est plutôt resserré par excès d'attention et de logique.

Jupiter dans la Balance

La Balance se porte très bien en compagnie de Jupiter ; elle gagne à sa fréquentation des qualités de souplesse, d'adaptabilité et d'accueil. Non qu'elle ne les possède pas par elle-même, bien au contraire, la Balance est un des signes les plus sociaux du Zodiaque, mais Jupiter favorisera l'éclosion et l'épanouissement de ces aptitudes de base.

La Balance ainsi favorisée pourra se faire encore plus affectueuse et caressante, encore plus tolérante et généreuse. Attention cependant à ne pas tomber dans le piège de l'affectivité à outrance et de la sensiblerie ; Jupiter est épanouissant mais il peut parfois être amollissant.

Des succès sont à prévoir dans le « monde » grâce à cette heureuse combinaison. Jupiter aime qu'on l'aime et se fait alors très munificent dans ses protections.

Jupiter dans le Scorpion

Jupiter donne au Scorpion l'optimisme dont il a besoin pour calmer ses inquétudes, il lui donne aussi des aptitudes de création et des ressources de sentiments. Le Scorpion n'en revient pas ! D'où des comportements en va-et-vient, des hésitations et des oppositions.

Mais des résultats brillants seront à envisager car Jupiter permettra aux qualités fondamentales du Scorpion, soit la volonté et le courage, d'exploser.

Le Scorpion admire Jupiter qui lui veut tant de bien, mais il le craint aussi, car il « éclaire » tous ses rouages profonds et ses tendances secrètes, et le Scorpion n'aime pas être deshabillé de ses coquilles protectrices. Là encore quelques crises de mauvaise humeur seront à craindre. Mais malgré quelques-unes de ces humeurs grinçantes, l'atmosphère sera belle, riche de résultats et de magnétiques attractions.

Jupiter dans le Sagittaire

Jupiter trouvera dans le Sagittaire une « terre » propice à tout épanouissement et à toute expression. L'esprit se fera large et prêt à toute création, le cœur apte à recevoir tous sentiments pourvu qu'ils soient à base de générosité et de compréhension.

Jupiter aidera le Sagittaire à vivre sa vie « en extérieur », dans des contacts et des communications, des rencontres et des voyages. Jupiter sera un très agréable compagnon de route pour les humeurs vagabondes du Sagittaire.

Des réalisations pleines d'ampleur sont à envisager car Jupiter, n'étant pas médiocre par essence, peut s'étaler et vivre à l'aise chez son hôte Sagittaire.

Jupiter dans le Capricorne

Le Capricorne, grâce à Jupiter, acquerra des qualités d'indépendance et de confiance en soi. Plus maître de lui-même, le Capricorne pourra s'épanouir en toute quiétude, et atteindre des horizons nouveaux et des sommets élevés là où ses ambitions pourront se réaliser. Jupiter apprécie la prudence et l'attitude secrète du Capricorne, mais il souhaiterait qu'il soit plus expansif en certaines occasions, pour avouer ses sentiments et son affectivité ; là est un des ressorts de Jupiter car il permettra au Capricorne de s'affirmer avec audace, de se montrer sans peur et de « faire valoir » toutes ses qualités trop souvent cachées.

Jupiter dans le Verseau

La rencontre de Jupiter avec le Verseau est prometteuse ; généreux et plus optimistes que pessimistes, ils s'entendront très bien, l'un pour donner son rayonnement, l'autre pour le recevoir. Il en résultera des épanouissements, des feux d'artifice de générosité et de valeurs humaines.

Comme l'amour appelle l'amour et la générosité attire la générosité, il est certain que l'addition de ces deux collections d'arguments provoquera chez le Verseau un épanouissement de son monde affectif.

Tous les espoirs, les souhaits et les rêves deviendront possibles. Même les ambitions à la limite du rêve pourront, sous les influences bénéfiques de Jupiter, devenir presque réalisables. Ce que Jupiter veut, le Verseau, tellement réceptif à tous les sentiments altruistes, le fera.

Jupiter dans les Poissons

La nature hospitalière, toute en sensibilité et en délicatesse du Poisson sera très bien aidée par Jupiter, toujours prêt à favoriser les sentiments. La main tendue, le cœur sur la main, les bras ouverts... toutes les images symbolisant la générosité peuvent être attribuées au Poisson recevant Jupiter. Une certaine popularité, née dans des travaux de dévouement sera possible.

Le cœur a des raisons que Jupiter connaît et qu'il accepte bien volontiers. C'est ainsi que les Poissons seront heureux dans leur vie de vocations humanitaires.

La grande sensibilité des Poissons risquera peut-être d'être agressée par des excès de contacts ; les composantes « extérieures » de la vie ne sont pas toujours appréciées par les Poissons. L'ocassion sera opportune pour se réfugier dans le silence de la musique ou les sonorités de quelques arts. Jupiter donnera aux Poissons des dons certains pour exprimer par des couleurs, des formes et des volumes — ce qui est une manière de vivre dans le monde « extérieur » — les inquétudes et les imaginations qu'ils possèdent dans le tréfonds de leur âme intuitive.

Saturne

Saturne dans le Bélier

Une dualité existera entre les valeurs symboliques de Saturne et celles du Bélier. Saturne plutôt triste assombrira les humeurs optimistes des Béliers, d'où des porte-à-faux, des inquiétudes mal définies, des « je ne sais quoi » troublants.

Saturne n'est guère aimable avec les fougues et les enthousiasmes du Bélier, il lui coupe « l'herbe sous les sabots ».

Par contre, Saturne invitera son hôte à réfléchir, à cogiter et à remuer dans son esprit et son âme, mille questions qui ont des intérêts occultes, pas toujours évidents pour le pauvre Bélier qui se demandera quelle est la personnalité de cette planète à qui il n'a rien demandé mais qui s'impose avec ses questions profondes. Il y a de l'angoisse dans l'air du Bélier lorsque Saturne passe.

Saturne dans le Taureau

La patience et la persévérante lenteur du Taureau apprécient le grave Saturne, sa ponctualité et ses scrupules. Tous les deux œuvreront dans la tranquillité, à résoudre des problèmes matériels. Le Taureau peut espérer, grâce à cette cohabitation, des résultats bien concrets, car bien construits.

La lenteur des réalisations sera l'indice de leur perfection. Un danger guettera le Taureau s'il prête des oreilles trop attentives aux récriminations et aux ruminations de Saturne ; il risquera de devenir violent dans ses obstinations et entêté dans ses insistances. Les idées fixes ne sont pas loin des idées stables et le Taureau trop saturnisé peut tomber dans des mélancolies qui n'en finissent plus, des craintes qui tournent en rond.

Saturne dans les Gémeaux

L'esprit frondeur, adolescent, capricieux et toujours à l'affût de quelques nouveautés du Gémeaux n'aime pas le sérieux et l'austérité de Saturne. Des dualités sont à craindre ainsi que des affrontements entre la jeunesse du Gémeaux et la maturité, quelquefois proche de la vieillesse, de Saturne.

Il est vrai que Saturne peut apporter, à un Gémeaux, conciliant et sérieux, des qualités de profondeur et de réflexion ; il en résultera des dons d'écriture et d'élocution. Saturne pourra par ses influences toutes nimbées de silencieuses pensées et de vertueux sentiments, faire naître chez le Gémeaux des vocations et des passions littéraires, psychologiques, artistiques.

Une idée de voyage est suggérée par la présence de Saturne dans les Gémeaux ; voyage dans des contrées lointaines : il peut s'agir de spéléologie, de psychanalyse ou d'aventures amazonniennes.

Saturne dans le Cancer

Un accroissement des aptitudes typiquement cancériennes sont à envisager ; soit plus de réserve, de prudence et de pudeur. L'intimité du foyer et de la vie de couple sera protégée par un Saturne soucieux d'éviter tous contacts étroits avec le monde extérieur. Le Cancer appréciera Saturne dans la mesure où cette planète lui confirme ses tendances profondes — sensibilité inquiète, silencieuse angoisse, sentiments indéfinissables — mais en même temps, il se révoltera contre ses excès d'intériorité. Là seront des motifs de lutte et de conflits.

Saturne donnera au Cancer des dispositions « en profondeur » pour l'étude, la réflexion, la poésie... mais le Cancer ne pourra s'exprimer que dans des ambiances feutrées, et troublantes de distance.

Saturne dans le Lion

Le Lion, souvent superbe et enthousiaste, brillant et mondain, trouvera avec Saturne des armes de diplomatie, de tact et de réflexion. La communion du badinage et du sérieux, des récréations et des créations profondes n'est pas incompatible. Cette planète permettra au Lion d'acquérir des qualités remarquables et redoutables d'efficacité.

Attention cependant à la tendance saturnienne à refroidir les spontanéités chaleureuses et les cœur à cœur naturellement affectueux. Le Lion n'aime pas le tiède et Saturne apprécie le froid ; le Lion n'aime pas les « grands parcs solitaires et glacés » du poète et Saturne apprécie les ambiances silencieuses et effacées. Un juste milieu devra être trouvé entre vivre extérieurement, tel que le demande le Lion, et être discret et distant tel que l'impose Saturne. Un problème quelquefois saturnien à résoudre !

Saturne dans la Vierge

La Vierge, déjà portée à être sage et à préférer le côté sérieux et efficace des choses de la vie — la Vierge adore la méthode, l'organisation, le contrôle et le classement —, trouvera chez Saturne des arguments de poids.

A eux deux, le travail sera encore mieux fait, les idées encore mieux étiquetées, les sentiments encore mieux épluchés. C'est le règne de la raison pure, de la frugalité sentimentale et de l'épargne intellectuelle.

Il y a quelque chose d'ascétique dans cette combinaison qui peut donner des âmes vertueuses, des savants très intuitifs, des religieux désincarnés.

Le danger est que la Vierge sage se transforme en Vierge prude et que ses sentiments « javellisés » par des excès d'austérité et de pudicité deviennent transparents.

Il est difficile d'aimer et de se faire aimer d'une Vierge trop saturnisée.

Saturne dans la Balance

La Balance offrant son hospitalité à Saturne fait acte de sagesse et de prudence. Saturne se trouve bien dans ce signe courtois et accueillant. Les qualités généreuses de la Balance seront magnifiées ; de l'estime, de l'honorabilité, voire une certaine popularité fort respectable, sont à envisager. La Balance pourra vivre ses états d'âme, d'esprit et de cœur avec l'affectivité et la délicatesse qui la caractérise, car Saturne éliminera les excès de mondanité excessive, d'exhibitionnisme sentimental et d'outrance en tout genre. Un calme élégant et des silences raffinés seront de rigueur.

Saturne et son sérieux seront à l'aise chez la Balance toute en nuances et toute en harmonie.

Saturne dans le Scorpion

Saturne et ses qualités silencieuses apporteront au Scorpion toujours un peu inquiet, toujours sur le qui-vive d'une souffrance à venir, des aptitudes de concentration, de réflexion et de persévérance.

La combinaison est propice aux inventions, aux créations originales, aux études « en profondeur » — psychologie par exemple. Saturne est grave, économe souvent hésitant mais toujours scrupuleux ; le Scorpion est instinctif, d'une intelligence magique car très intuitive, il possède en lui un feu secret quelquefois démoniaque... L'association de ces valeurs peut donner des résultats fulgurants. Rien ne pourra échapper à l'esprit en laser d'un Scorpion aux puissantes pulsions, accueillant Saturne le taciturne.

Saturne dans le Sagittaire

Les recherches d'évasion et d'indépendance du Sagittaire peuvent trouver une voie originale et inattendue lorsque Saturne passe et montre la route. Les besoins de distances lointaines et d'explorations du Sagittaire pourront s'ennoblir et se sublimer avec les influences saturniennes à la réflexion, à l'austérité et aux doutes.

En effet le Sagittaire, déjà charitable, pourra devenir vertueux, et son esprit, élevé par les rigueurs de Saturne, se fera religieux. La voie d'une vocation est tracée.

Le Sagittaire ainsi saturnisé pourra devenir l'être social que l'on respecte et que l'on interroge. Les sentiments seront nuancés d'idéalisations et de pureté. Le danger est que Saturne loue trop les chemins de l'abstinence, ce qui donnera un Sagittaire trop pudique, éloigné des avantages d'un épicurisme vivifiant.

Saturne dans le Capricorne

Les valeurs sûres du Capricorne, soit l'intégrité, l'austérité, le sérieux, trouveront avec Saturne la possibilité de se doubler.

Il ne faudra pas attendre les confidences d'un Capricorne accueillant Saturne ! Les ambiances seront secrètes, profondes et silencieuses. Une exagération des qualités mais aussi des défauts typiquement Capricorne sont à supposer.

Le Capricorne pourra lutter efficacement dans l'ombre afin de faire progresser ses idées, il vivra des exigences spirituelles mais silencieuses, il trouvera des armes secrètes pour dépasser les mesquineries quotidiennes.

Des résultats extraordinaires sont à prévoir, mais par « personne interposée » car le sage et vertueux Capricorne, n'aimant pas se mettre en valeur et restant dans l'ombre de la haute protection de Saturne, sera le « deus ex machina » de la personne qu'il aura choisie pour « exister » extérieurement à sa place.

Saturne dans le Verseau

Les tendances du Verseau à vivre libre et libéré, à être social et sociable, à n'appartenir à personne tout en se donnant à tous... trouveront avec Saturne des possibilités de s'épanouir.

La limite entre l'irréel et le réel dans les espérances ne sera pas franchie, car Saturne le sage et le raisonnable, donnera de bons conseils de prudence au Verseau toujours un peu trop imaginatif et enthousiaste.

Les cercles amicaux, les soirées intimes seront favorisés car les idées seront riches, profondes et foisonnantes d'originalités.

Le danger est que Saturne trop pessimiste pousse le Verseau trop influençable à se dépasser lui-même, alors qu'il est déjà très loin ; des chutes sont alors à craindre ; des sacrifices inutiles, des suicides spirituels naîtront à l'esprit et à l'âme inquiète du Verseau ; mais cette expectative pourra être contrée par son opportunisme à s'envoler au moment où il risque d'être encagé.

Saturne dans les Poissons

Saturne ne sera pas indulgent avec le Poisson, il aura tendance à accentuer ses inquiétudes métaphysiques et ses craintes d'exister.

Saturne s'appliquera à donner au Poisson, qui l'accueillera, des aptitudes efficaces de concentration et de réflexion : malheureusement la sensibilité du Poisson est telle que les influences taciturnes de Saturne seront souvent mal acceptées et mal vécues ; là où il n'y a que dialogues, le Poisson voit le drame, là où il n'y a que conseils, le Poisson sent de la réprimande.

Des aptitudes peuvent naître de cette combinaison sérieusement inquiète : travaux de recherche, de laboratoire, d'analyse... Il est possible que des vocations religieuses se déclarent, l'âme du Poisson aimant par-dessus tout les conversations éthérées et célestes, les amours angéliques et spiritualisées.

Neptune

Neptune dans le Bélier

Neptune apporte au Bélier l'inverse de ce qu'il a l'habitude de rechercher, il lui donne du surréalisme. Le Bélier, solide et concret, un peu brutal dans ses enthousiasmes, rapide et vif, ne saura que faire des propositions de Neptune qui sont toutes à base de merveilleux, d'imaginaire et de folie douce.

Les dialogues avec l'inconscient ne sont pas pour le Bélier qui apprécie le palpable.

Certes Neptune donnera des idées d'aventure et créera de nouveaux sujets de conversation « avec soi-même » : qui suis-je, que dois-je faire, qui dois-je aimer… ? Neptune a en en effet l'art de réveiller l'inconscient quelquefois endormi de qui le reçoit et lorsque c'est le Bélier qui joue à l'hôte, les réponses risqueront d'être ambiguës et troublantes.

Il est possible que le Bélier, contaminé par les aptitudes visionnaires de Neptune, se lance dans des travaux mystiques et des souhaits d'aider l'humanité malheureusement trop utopiques.

Neptune dans le Taureau

Neptune inspire les poètes, les artistes et le Taureau en particulier, si bien que ses aptitudes pour la « pâte », le toucher, tout ce qui est sensoriel et sensation, seront très bien influencées. La sensualité du Taureau se fera raffinée et se teintera de délicatesse. La poésie au service de la volupté.

La période sera excellente pour acquérir des biens palpables : terres, maisons, arbres… Neptune aime les « choses irréelles », mais apprécie aussi le « vrai » d'où cette influence particulière pour toutes les choses sans artifice et sans décoloration mondaine que sont les « biens et les fruits de la terre ».

Neptune dans les Gémeaux

L'association de Neptune la « voyante » avec les qualités intellectuelles des Gémeaux ne peut qu'être bénéfique. Dans cette position, Neptune apporte des qualités merveilleuses de compréhension, de subtilité, d'ingéniosité. Les Gémeaux touchent au génie avec la visite de Neptune.

Toutes les vibrations du monde des idées et des sentiments seront réceptionnées avec intensité ; tous les phénomènes affectifs seront spiritualisés ; des dons pour la littérature, l'éloquence, les sciences prophétiques seront à prévoir.

La signature de Neptune dans le signe des Gémeaux double ses facultés mentales.

Neptune apporte également une sensibilité plus aiguë aux choses de la nature et le Gémeaux sentira dans le tréfonds de son être des ondes nouvelles issues des entrailles du monde cosmique.

Neptune dans le Cancer

Neptune créera des ambiances chaudes, intimes et affectueuses en visitant le Cancer.

Le Cancer vivra des moments doubles d'intuitions extrêmes et de sensations développées. Les qualités de sensibilité et d'émotivité cancériennes ne demanderont qu'à s'épanouir sous les protections de la toute sensible planète Neptune.

Le Cancer sera plus attentionné avec les problèmes d'autrui, plus réceptif aux joies et aux chagrins des autres ; il semble que Neptune ait le don d'éveiller les aptitudes de bonté et de générosité que tout signe possède en lui, c'est pourquoi le Cancer, déjà prédisposé à saisir les inquiétudes d'autrui et à les faire siennes, sentira ses réserves sentimentales fort électrisées.

Une sensualité à la fois douce et passionnée, chaude et piquante, donnera des idées de luxure et de volupté au Cancer souvent craintif et réservé, qui pour une fois ne se privera pas d'apprécier toutes les saveurs d'un amour intimement partagé.

Neptune dans le Lion

Neptune jouera les filles de l'air en rencontrant le Lion toujours disponible à quelques récréations. C'est ainsi que des plaisirs et des divertissements de tous ordres seront au programme.

Neptune apportera des qualités artistiques développées à un Lion qui apprécie déjà les plaisirs du théâtre et possède le goût inné du spectacle.

Le comportement Lion gagnera des trésors d'amabilité et de compréhension, et les carrières éducatives seront bien influencées par un accroissement des talents « publics et sociaux » du Lion.

Des sentiments amoureux originaux ne seront pas exclus car Neptune romance et poétise tout ce qu'il rencontre ; c'est ainsi que les passions léonines deviendront des contes des mille et une nuits et que les sentiments dépouillés d'artificiel, gagneront des valeurs solaires.

Neptune dans la Vierge

Des dualités seront à craindre lors des dialogues entre Neptune irrationnel et irraisonnable et la Vierge, logique et sévère dans ses rectitudes de pensées.

La Vierge gagnera des aptitudes de diplomatie et de ruse élégante au contact d'un Neptune toujours dans les nuages mais capable de comprendre, l'inconscient des choses et des êtres. Mais cependant, elle se perdra dans les méandres de ses imaginations et de ses inventions toujours à la limite de l'inexplicable.

La Vierge risquera de devenir le jouet d'idées fantômes, de rêves éveillés, et d'obsessions. Or, la Vierge n'aime pas être non-responsable et non-maître de ses idées et de ses sentiments, d'où des conflits intérieurs et des inquiétudes possibles.

Neptune dans la Balance

Neptune apportera des influences très bénéfiques à la Balance qui sentira ses qualités humaines et généreuses, ses aptitudes artistiques et esthétiques fort développées.

Neptune aime tout ce qui est immatériel, fluide et infini... La Balance adore se laisser envahir par tout ce qui est musical, poétique et affectif. D'où, une excellente entente faite d'élévation spirituelle et de compréhension altruiste.

Le danger est qu'un envahissement progressif s'effectue chez la Balance, qui, trop réceptive, ne vivra pas qu'en idéalisation et en spiritualité mal canalisées.

Neptune dans le Scorpion

Neptune est en contact avec les forces profondes de la « nature ». Tout ce qui est l'inconscient du monde lui est connu ; aussi lorsque la planète rencontre le Scorpion, puissant et infiniment « profond » en instincts purs et en sensualité à l'état brut, les dialogues sont, ou bien riches d'inventions et de créations fantastiques au niveau des intuitions, ou bien ils se transforment en violents conflits intérieurs. Le Scorpion se trouvera en effet avec les images de ses propres instincts en pleine ébullition comme s'il se regardait dans un miroir. Et le Scorpion a l'art de passer derrière les miroirs, de lire dans les boules de cristal et d'être plus apprenti sorcier que missionnaire ou sœur de charité.

Attention donc à des comportements ayant une odeur de soufre tant ils seront passionnés et originaux.

Neptune dans le Sagittaire

Le Sagittaire, mobile, voyageur dans l'âme et dans l'esprit, trouve en la compagnie de Neptune une amplification de ses espérances et de ses aspirations aux découvertes.

Tout ce qui touche aux aventures, aux excursions, aux odyssées, sera mis en valeur, mais Neptune étant la planète de l'irrationnel et de l'inconscient, tous les périples et circuits qu'affectionne le Sagittaire auront une coloration mystique, religieuse, occulte même.

Le Sagittaire acquerra des dons littéraires, poétiques, artistiques, développés grâce aux influences inspiratrices de Neptune.

Attention cependant que les enthousiasmes spirituels et les découvertes psychologiques ne dégénèrent pas en délire divin et en exaltation mentale.

Neptune dans le Capricorne

La planète Neptune est l'amie du Capricorne dans la mesure où elle lui permet d'exalter ses énergies froides et son affectivité sévère ; dans ce sens, des résultats d'une grande envergure sont à prévoir.

Mais en même temps Neptune est l'image inverse du Capricorne tant elle est romantique, sensible aux moindres vibrations et surtout « jouisseuse de l'inconscient » du monde et des êtres ; ce que le Capricorne n'est pas.

Le Capricorne peut espérer devenir avec l'aide de Neptune un redoutable et efficace homme ou femme d'affaires car les travaux silencieux et secrets, chers au Capricorne, trouveront à s'extérioriser d'une manière originale, souvent par « personne interposée ».

Le Capricorne étant souvent « l'éminence grise » de personnages plus extravertis et plus voyants. Le Capricorne se contentant d'être « clairvoyant », ce qui est mieux, mais en silence.

Il y a un côté « policier » dans cette combinaison qui accentue l'intelligence détective du Capricorne.

Neptune dans le Verseau

Le Verseau vit en dualité avec ses imaginations et son sens du concret. Neptune accentuera les tendances aux rêves et à l'irréel mais se butera aux qualités raisonnables du Verseau.

En fait celui-ci veut de la liberté avant toute chose, c'est ainsi qu'on le suppose fantasque alors qu'il n'est qu'inquiet.

Neptune lui permettra une amplification de ses qualités généreuses et altruistes ; d'où des possibilités de partir en guerre contre les injustices du monde, de tenter de guérir les souffrances humaines.

Le danger résidera dans des idéalisations trop excessives qui dépasseraient les limites du possible, inventées par un Neptune toujours prêt à des enthousiasmes et à des envolées féeriques et fabuleux.

Un équilibre sera à trouver entre le vrai et le plus que vrai, entre l'irréel et le plus qu'irréel. Le Verseau y perdra quelquefois son esprit et son âme !

Neptune dans les Poissons

Neptune ouvre la porte du monde de l'imaginaire et de l'irréel et le Poisson sera ravi de pénétrer dans l'univers magique de l'inconscient, de l'infini et de l'inexprimable.

Le Poisson se fera médium, voyant, prophète ou tireuse de cartes... L'essentiel sera d'utiliser des aptitudes de clairvoyance décuplées et des intuitions anormalement développées.

Neptune a dans ses valises des sentiments profonds et insolites ; c'est ainsi que le Poisson, prédisposé à toutes les aventures mystiques, pourra être touché par une foi, une vocation.

Les qualités humaines, généreuses du Poisson seront mises en valeur. Attention cependant à ne pas franchir la limite entre le réel et l'irréel et de donner son cœur, son âme et son corps à de mauvais esprits sous prétexte qu'ils parlent bien et qu'ils promettent le bonheur absolu !

Uranus

Uranus dans le Bélier

Uranus, toujours curieux et original, permet au Bélier de vivre d'une manière indépendante, ingénieuse, et de pouvoir satisfaire ses ambitions lorsqu'elles sont hors du médiocre et de l'ordinaire.

Il y a de la révolution qui se prépare lorsque Uranus est présent à côté du Bélier. Les ambiances de vie seront électriques, enthousiastes et fantastiques à force de fantaisie et d'audace.

Le danger sera dans une exagération des spontanéités et dans l'impossibilité de maîtriser les poussées anarchiques des forces profondes.

Le génie d'Uranus réside dans son influence qui pousse aux évasions extraordinaires, mais les génies sont quelquefois fatigants.

Uranus dans le Taureau

Des problèmes d'équilibre sont à craindre. Le terrestre et le spirituel vont s'affronter.

L'obstination du Taureau se fera au carré ; son attachement aux choses terrestres, au concret et aux biens palpables deviendra de l'obsession. Uranus donnera des idées artistiques originales qui tourneront aux idées fixes.

Attention aux excès de volonté et aux déterminations absolues qui empêcheront les contacts d'être humains et chaleureux.

L'éclairage est mis sur des possibilités de « se dépasser » : en idées, en sentiments, en espérances, en rêves, le Taureau vivra des instants fantastiques mais déséquilibrants car trop intenses en forces brutales.

Les qualités d'évasion d'Uranus s'intéresseront au « physique » du Taureau ce qui l'amènera à rechercher des voyages hors du temps et hors de l'espace, sous forme de jouissance et de voluptés bien sensorielles.

Uranus dans les Gémeaux

Le Gémeaux, déjà original, intuitif et versatile de naissance, n'avait pas besoin d'Uranus pour devenir encore plus intelligent et encore plus merveilleusement feu follet.

Les études, les recherches, les travaux, dans tous les domaines des sciences, des arts et de la littérature seront très bien valorisés par un Uranus soucieux d'éviter le médiocre et d'inventer le fantastique. Les résultats seront à la progression, au modernisme et aux découvertes en tout genre.

Attention cependant à la tendance à ne faire que des « brouillons » par excès d'imagination et par manque de patience.

Les évasions proposées par Uranus seront souvent cycliques ; des chimères et des artifices risqueront de s'intercaler aux réalisations « intelligentes ».

Uranus dans le Cancer

Le Cancer, être psychique, sensible, vibrant à toutes les ambiances trouvera avec Uranus un piment. Ses qualités seront amplifiées mais également trop électrisées. Des aptitudes pour les sciences occultes sont à prévoir car la sensibilité cancérienne à fleur d'âme, sera doublée de dons originaux à base d'intuitions et de clairvoyance.

Les ambiances de travail, familiales, amoureuses, risquent d'être perturbées par des excès de sensibilité ; toutes les idées, tous les sentiments, tous les mots seront reçus avec une intensité excessive.

Uranus apportera une richesse de sensations au Cancer et celui-ci aura des difficultés à les vivre, mais s'il arrive à dépasser le cap de l'intolérance, des résultats fantastiques au niveau des réalisations spirituelles, psychologiques et même sentimentales sont à prévoir.

Uranus dans le Lion

Uranus est le rebelle de la famille des planètes et le Lion est l'orgueilleux du Zodiaque ; leur rencontre risquera d'être inhumaine d'ambitions et de fougues indisciplinées. L'esprit du Lion « uranisé » sera dédaigneux de tout ce qui est convention, conformité, principe et même moralité. De l'égoïsme à l'état pur, de l'orgueil à l'état sauvage gâteront les attitudes. Trop de passion, trop de tout... mais quelle audace, et quels prodigieux résultats !

Les tendances seront aux grandes aventures : financières, sociales, sentimentales ; rien ne sera mesquin, tout sera grand car original et hors des limites de l'ordinaire.

Les évasions proposées par Uranus seront exotiques, élevées et parfois héroïques.

Uranus dans la Vierge

La Vierge toujours assoiffée de rationalité et de logique, aura des spasmes d'intuition et d'irrationalité. En effet, Uranus, à l'esprit original et aux comportements inédits, bousculera le classicisme des raisonnements et la discipline des sentiments.

Des problèmes étranges naîtront car la Vierge n'acceptera pas la bizarrerie des inventions uraniennes ; elle n'est pas sans hardiesse ni sans audace, mais elle souhaite que le raisonnable s'intercale dans les irréalités.

Les aptitudes seront aux sciences vraies teintées de magie, aux sciences occultes nuancées de raison. Mais d'une manière générale, l'évasion uranienne se fera dans l'étude, l'aventure intellectuelle et les travaux sérieux.

Uranus dans la Balance

Deux solutions sont à prévoir lorsque Uranus rencontre la Balance, soit des problèmes d'équilibre entre les tendances originales et farfelues d'Uranus et les comportements sages et délicats de la Balance, soit une explosion des qualités sociales de cette dernière.

Uranus donnera des ailes aux imaginations de la Balance, compliquera ses rêves en les transcendant, et jouera aux muses en l'inspirant dans les domaines de l'art, de la littérature et de l'esthétique.

Il y a, dans la fusion des valeurs Uranus et Balance, un feu d'artifice de qualités humaines et surhumaines, tendres et brûlantes, sages et échevelées.

Attention aux accidents de parcours car Uranus a tendance à bousculer les êtres trop rêveurs et trop chimériques, et la Balance l'est un peu.

Uranus dans le Scorpion

Uranus va s'en donner à cœur joie en rendant visite au Scorpion. Les étreintes entre la planète et le signe seront titanesques. Les dons déjà très magiques du Scorpion seront excités par un Uranus ravi de jouer à l'apprenti-sorcier.

Des résultats hors de l'ordinaire sont à prévoir. Des inventions diaboliques, des comportements chauds et froids, une sexualité en hausse donneront au Scorpion des rythmes de vie endiablés, fatigants, révoltés mais oh combien riches d'originalités.

Le Scorpion sera seul avec ces forces instinctives que personne ne pourra comprendre tant elles seront explicables de profondes puissances et de destructives violences, à l'image d'une coulée de lave.

Toutes les entreprises demandant de l'intelligence subtile, obstinée et un je ne sais quoi de diabolique, seront parfaitement favorisées.

Uranus dans le Sagittaire

Lea goûts pour les aventures, les explorations et les développements en volume et en espace du Sagittaire seront comblés par les impatiences à exploser d'Uranus.

Les aventures deviendront des voyages hors du temps, les explorations seront hors des sentiers battus et les développements prendront des dimensions spatiales. Uranus permettra au Sagittaire de réaliser des entreprises surhumaines.

Le Sagittaire ne pourra rester en place, il lui faudra prendre la route, n'importe laquelle pourvu qu'elle soit originale et excentrique.

Il n'est pas exclu que les influences d'Uranus, qui poussent à l'inconnu et à l'évasion dans des mondes inexplorés, ne se concrétisent pas d'une manière mystique chez un Sagittaire avide de pureté et de connaissances absolues.

Uranus dans le Capricorne

Le Capricorne, souvent réservé, toujours discret quant à ses idées et ses sentiments, trouvera chez Uranus des outils de travail qui lui permettront de « partir dans l'espace » ; les intuitions seront développées, les idées seront originales mais les exigences de liberté seront exacerbées. Trop de rigueur et d'ambition froide risquent cependant de donner aux comportements une brutalité excessive.

Uranus ne ménage pas ses influences, il est brut dans ses actions. Lorsque le Capricorne, qui lui non plus ne s'embarrasse pas d'excessive délicatesse, s'associe à cet Uranus impérieux et impérial, le mélange est détonant de force vives et d'égoïsme à l'emporte-pièce.

Mais c'est cependant dans de telles circonstances planétaires qu'un Capricorne peut devenir un être absolu d'efficacité et d'originalité. Uranus apporte au Capricorne la dose de merveilleux qu'elle souhaite.

Uranus dans le Verseau

Uranus fortifie les dispositions intellectuelles, techniques et originales du Verseau. L'alliance est belle et fructueuse. Le Verseau sortira vainqueur de nombre de problèmes avec une telle fréquentation.

Le Verseau aime se dévouer et faire acte d'humanité : c'est ainsi qu'Uranus permettra des exploits hors du commun dans des domaines généreux, des travaux humanitaires, des missions à haute teneur de générosité et de dévouement.

Peut-être y aura-t-il une tendance à des enthousiasmes utopiques et à l'imagination ! En effet Uranus apporte des aptitudes rares et insolites. Aussi, lorsqu'elles sont confiées à un Verseau, déjà prédisposé à des réalisations exceptionnelles, les résultats peuvent être curieux et trop singuliers pour être compris par tout le monde. Le merveilleux a des limites dans l'esprit humain !

Le Verseau pourra réaliser ses ambitions pourvu qu'elles soient un peu folles, un peu invraisemblables, impossibles. En effet, Uranus arrive à faire des miracles avec les souhaits du Verseau.

Uranus dans les Poissons

Uranus, le magicien, donne au Poisson amoureux des étoiles, des possibilités de comprendre l'inexplicable. Des dons pour les sciences occultes, les analyses en profondeur de l'âme humaine sont à prévoir.

Le Poisson aura des difficultés à rester dans le réel ; le quotidien lui sera incompréhensible car il aura tendance à rechercher les infinis dans tous les domaines, ce qui sera d'ailleurs source d'inquiétudes. Un déphasage entre le vrai et le faux sera à craindre si le Poisson se laisse bercer par des promesses d'Uranus.

Tout n'est pas à prendre ni à croire dans les belles paroles uraniennes. Les évasions proposées par Uranus s'effectueront davantage dans un monde de rêve et de chimères que sur un plan concret.

Les Maisons

Les Maisons montrent les domaines de l'existence où il se passe quelque chose...

L'architecture des maisons

Les Astrologues-Architectes qui ont dressé les plans des maisons qui se disposent dans un ciel de naissance ont bâti une sorte de cité-symbole où l'on trouve, en un circuit fermé, tout ce qui constitue « l'existence » d'un individu, de sa naissance à sa mort, en passant par tous les thèmes et les variations, les problèmes et les plaisirs de la vie.

Chaque maison a ainsi des attributions ; elle indique, sans prendre part et sans faire de commentaires, les domaines dans lesquels il peut se passer quelque chose.

Les maisons ne se bâtissent pas au hasard mais font l'objet d'un code d'urbanisme astrologique. Ce code est composé par les tables des maisons qui définissent la position de chacunes d'elles.

Un signe de croix : les quatre maisons essentielles d'un thème

Quatre maisons présentent un intérêt essentiel : la maison un (maison où se trouve l'ascendant), la maison quatre, la maison sept et la maison dix.

Ces quatre maisons sont aisément définissables. En effet, la maison un étant désignée par le signe ascendant, et les douze signes du zodiaque se suivent en un carroussel circulaire, les onze autres maisons se succèdent les unes aux autres dans le sens contraire à la marche des aiguilles d'une montre. Les « murs mitoyens » de chaque maison ne coïncident pas avec les limites de chaque signe, mais on peut établir que, dans les grandes lignes, les quatre maisons essentielles se trouvent dans des signes, repérables sans calculs fastidieux, qui forment une croix.

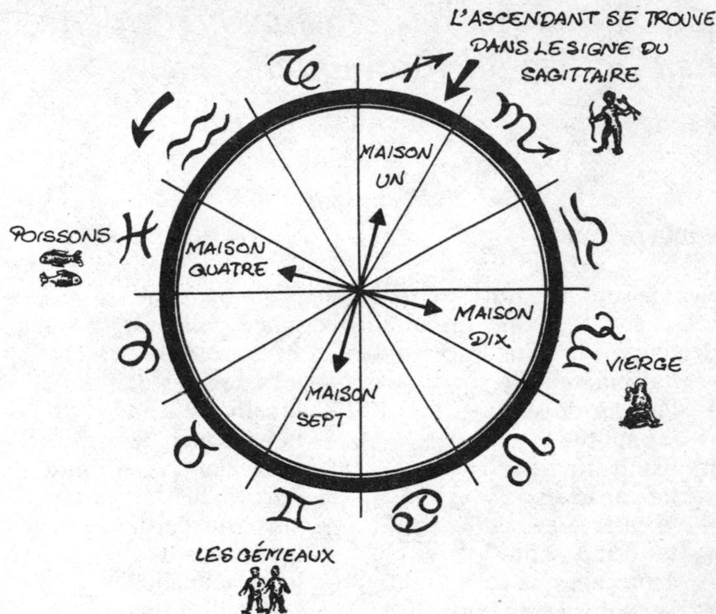

Prenons l'exemple d'une personne ayant l'ascendant en Sagittaire. La maison un — désignée par la position de l'ascendant — se trouve donc correspondre au signe du Sagittaire. Traçons une croix, en partant de la maison un, soit le signe du Sagittaire.

Les autres branches de la croix se trouvent respectivement : en Gémeaux, en Poissons et en Vierge.

Les quatre maisons sont donc :

— maison un dans le Sagittaire ;
— maison quatre dans les Poissons ;
— maison sept dans les Gémeaux ;
— maison dix dans la Vierge.

Les fonctions des maisons : résidence, lieu de travail, boutique…

Maison un

La maison un, qui se trouve dans le signe où se trouve l'Ascendant, a une importance capitale. Elle est la « résidence principale » du consultant. Elle concerne :

— l'affirmation de soi
— l'amour de soi
— les aptitudes
— l'authenticité
— les capacités
— le caractère
— les composantes subjectives
— la confiance en soi
— la conscience de soi
— le degré d'activité
— les dispositions
— les énergies
— l'essence
— l'état congénital
— l'état naturel
— l'existence propre
— les forces vitales
— le génie
— l'hérédité
— l'identité
— l'impulsivité
— l'individualité
— les initiatives
— le « je »
— le magnétisme personnel
— les manières d'être
— le moi
— la naissance, les origines
— le niveau de sensibilité
— l'originalité
— les particularités
— les penchants
— la personnalité
— les prédispositions
— les possibilités de réalisations
— les progressions
— la progression personnelle
— le « quant à soi »
— les réactions face à la vie
— les responsabilités
— le sentiment du moi
— les signes distinctifs
— les signes particuliers
— le style de vie
— le tempérament
— les tendances
— la théorie personnelle de vie
— la vitalité
— les vocations

Maison deux

La maison deux pourrait être appelée « la banque », la « maison de rapport », puisque c'est elle qui s'occupe des avoirs, des biens de toute sorte, de tout ce qui se touche, se gagne, de tout ce qui peut être perçu y compris par la fonction « sensation ». Elle concerne :

— les achats, les ventes
— les acquisitions
— les affaires
— l'affectivité possessive
— les ambitions
— les appétits
— les attitudes face à l'argent
— les avantages
— l'avarice
— l'avidité
— les avoirs
— la bourse
— la chance
— les combinaisons financières
— le confort
— la consommation
— les constructions
— la cupidité
— la débauche
— les dépenses
— les dettes
— les échanges
— l'épargne
— les fructifications
— les gains
— l'instabilité financière
— l'intelligence des affaires
— les intérêts
— la jalousie
— les jeux d'argent
— la jouissance
— les jouissances excessives
— la matière
— la mère nourricière
— les meubles, les immeubles
— « le mien, le tien »
— les moyens
— les opérations commerciales
— l'opportunisme
— l'or, l'argent
— la patience
— le patrimoine
— les pertes
— les placements
— les possessions
— la propriété
— les puissances
— la puissance financière
— les réalisations
— les réalisations à venir
— les rentes
— les ressources
— la richesse
— les risques
— les salaires, revenus
— les sécurités
— la sensualité
— les spéculations
— la stabilité
— la terre
— le toucher
— l'usure

Maison trois

La maison trois pourrait être appelée l'hôtel, la gentilhommière, la collège, puisqu'elle s'intéresse au monde des relations du consultant.

— l'adaptation
— l'agitation
— les attitudes face aux autres
— les cercles, les amis
— les communications
— les complicités
— les connaissances
— les contacts
— la correspondance
— les déménagements
— les dualités
— les échanges
— les échanges, les entretiens
— l'entourage
— l'environnement
— les errements
— « être deux »
— les études
— les évolutions
— l'exil
— l'expression
— les frères et sœurs
— les instabilités
— le langage
— la littérature
— les mouvements
— les moyens de locomotion
— la parole, l'expression
— plier bagage
— les proches
— les progressions
— les promenades
— les rapprochements
— les rencontres
— les reproductions d'états d'âme, d'idées
— les ressemblances
— « se mettre en route »
— la sociabilité
— le tourisme
— les travestissements
— le vagabondage
— la vie extérieure, les autres
— les voyages

Maison quatre

La maison quatre pourrait être appelée « la maison de famille » puisqu'elle concerne le noyau familial, le foyer, l'atavisme.

— les accouchements
— les ambiances
— l'angoisse de la naissance
— les ascendants
— l'atavisme
— les besoins de créations « intimes »
— les besoins de sécurité
— la chaleur intérieure
— le « chez-soi »
— la coquille, le foetus
— les conditions d'habitation
— le culte de la famille
— la demeure
— les descendants
— la domesticité
— les « eaux-mères »
— l'éveil à...
— l'extraction
— la famille
— la féminité, la maternité
— les filiations
— la génération
— les « gestations »
— les habitations
— l'hérédité
— l'œuf
— les parents
— la passivité
— le père-idole
— les « ports d'attache »
— les protections
— les racines
— les repas « de famille »
— la retraite
— le sens de la famille
— la sensibilité intériorisée
— les servitudes familiales
— la vie de couple
— la vie de famille
— la vie psychique profonde

Maison cinq

La maison cinq pourrait être appelée « la maison de vacances », « le théâtre », là où des créations et des récréations peuvent être réalisées.

— les affiches
— l'affirmation du Moi
— les apparences
— les arts
— l'autorité
— ce qui est « hors de »
— ce qui est public
— les désirs de jouer un rôle
— les dominations
— les enfants
— l'enthousiasme
— les exigences
— les exubérances
— l'expansion
— les extériorisations
— la fertilité
— la folie des grandeurs
— la gloire
— l'intolérance
— les jeux
— les jouissances
— la largesse de vie
— les loisirs
— les lumières, l'éclat
— le luxe
— les mises en scène
— le monde « extérieur »
— les œuvres
— l'orgueil
— le pouvoir
— la prodigalité
— les productions
— les publics
— la publicité
— la puissance et la gloire
— le rayonnement personnel
— les récréations
— les scandales
— la société
— les « soifs » de vivre
— le soleil
— les spéculations artistiques
— les triomphes

Maison six

La maison six pourrait être appelée « l'atelier, l'école, l'usine, le bureau, la boutique », puisque c'est là où le consultant travaille, souffre et se fatigue dans sa « lutte pour la vie ».

— les activités
— les analyses
— l'apprentissage
— les aptitudes
— les arguments
— les artisans
— les assurances
— les avantages
— les commerçants
— le conforme
— les conditions de travail
— les contrôles
— la dessication
— les détails
— le devoir, la notion du devoir
— le discernement
— l'école
— le filtre
— les habitudes
— les industries
— les interdits
— les luttes « pour la vie »
— les matières premières
— les matériaux
— le milieu professionnel
— les mises en œuvre
— le monde domestique
— les obligations
— l'organisation
— l'ordre
— la patience
— la perfection
— la prévoyance
— les problèmes de travail
— la pureté
— la raison
— la réserve
— la respectabilité
— les retrécissements
— les sacrifices
— les servitudes
— les soucis du quotidien
— les sous-ordres
— le sûr
— les surveillances
— les tabous
— les tâches
— la tranquillité
— le travail
— l'utile

Maison sept

La maison sept pourrait être appelée « la chaumière et un cœur, le foyer conjugal, les lieux de rencontre, le palais de justice... » puisqu'elle concerne tout ce qui a trait « au mariage et ses suites » et aux « associations, ses avantages et ses dangers ».

— les accords
— les adversaires
— l'affection
— amant - amante
— les associations
— les atténuations
— la balance
— le beau
— les besoins affectifs
— le bien-être
— les caprices
— la chevalerie
— le cœur
— les collaborations
— les complémentarités
— les conciliations
— les conjoints
— la délicatesse
— les détentes
— « deux »
— les difficultés de choix
— les dispositions naturelles
— doublement, dédoublement
— la douceur
— les dualités
— les échanges affectifs
— les émotions
— l'équilibre
— les équilibres affectifs
— l'esthétique
— la fragilité
— l'harmonie
— les indécisions
— les influences
— le « juste milieu »
— la justice
— les mariages
— la modération
— les nuances
— la pondération
— les procès
— le romantisme
— les sentiments
— la sexualité
— les soumissions
— les traités
— les troubles affectifs
— l'union des contraires
— la vie commune
— le vrai

Maison huit

La maison huit pourrait être appelée « l'hôpital, le couvent, la prison, l'hospice... » puisqu'elle est nommée maison de la mort et des crises.

— les accidents
— les adversaires
— les affections de l'âme
— les attirances
— l'auto-destruction
— la brutalité
— la chaleur
— les coups
— les craintes
— les crises
— les dangers
— les détachements
— le développement des passions
— les drames
— l'enfer
— l'esclavage
— les états « sublimes »
— la fin des idées, des sentiments
— les forces cachées
— les funérailles
— les « fureurs » de vivre, de mourir
— les héritages
— les jeux de l'amour et de la mort
— les langages secrets
— la médecine
— les médisances
— la mort
— les mouvements de la passion
— les moyens de guérir
— le mysticisme
— les obsessions
— les obstacles
— les passions
— les plaisirs des sens
— les promesses de résurrection
— les régénérations
— les sentiments profonds
— le serpent
— la sexualité
— la spiritualisation
— les transformations
— les tristesses
— la vie douce

Maison neuf

La maison neuf pourait être appelée « l'agence de voyage, la gare, mais aussi les temples, les églises » puisqu'elle s'intéresse aux « grands voyages », aux pays lointains, y compris les mondes de l'inconnu où l'on accède par des chemins spirituels.

— les aventures
— les besoins d'explorer
— le besoin de vrai, de vérité
— les campagnes, les montagnes
— la chasse
— les choses inconnues
— les colonies
— les coordinations
— les curiosités
— les distances
— le dynamisme
— l'enthousiasme
— l'étrange
— l'étranger
— les études
— les événements
— les évolutions
— les expéditions
— les examens
— les explorations
— l'indépendance (libre comme l'air)
— la liberté (de pensée, de caractère)
— le loin, l'ailleurs
— les mouvements
— la nature
— le passage d'un point à un autre
— le plein air
— les préparatifs de voyage
— la rapidité
— les recherches
— les réflexes
— les relations avec l'air
— les révoltes
— les rapports entre...
— les richesses
— les routes
— les séjours
— les transitions
— les transports
— les trouvailles, les trésors
— la vivacité
— les voies
— les voyages

Maison dix

La maison dix pourrait être appelée « le palais, le château, mais aussi la tour d'ivoire »... puisqu'elle concerne les honneurs de tout ordre y compris ceux que l'on fait obtenir aux autres par des travaux solitaires et silencieux.

— les ambitions
— l'austère
— le but « unique »
— les calculs
— la célébrité
— les combats
— la concentration
— la conscience professionnelle
— le dépouillement
— le devoir
— les duels
— les efforts constants
— les éléments de la réussite
— les élévations
— l'élite
— le feu intérieur
— la force
— les honneurs
— les gouvernements
— la grandeur
— la grandeur morale
— le grave
— les inquiétudes
— l'intégrité
— les luttes
— les objectis
— les offensives secrètes
— l'orgueil
— les orientations
— les passions secrètes
— les peurs de se tromper
— les principes
— le point culminant
— les possessions
— les professions
— le progrès
— la puissance
— la raideur
— la raison
— la rectitude
— le refus de...
— le règne
— les résignations
— le respect
— la réputation
— les responsabilités
— la réussite
— la rigidité
— les richesses (corne d'abondance)
— le roi
— les sciences exactes
— les situations
— la solidité
— les sommets
— la souveraineté
— le taciturne
— la volonté
— les vocations

Maison onze

La maison onze pourrait être appelée « les séminaires, les lieux de congrès, les lieux de rencontre, les espaces, les forum... »

— les affinités
— l'altruisme
— les ambiances
— les besoins affectifs
— le bizarre
— les buts
— les causes (humaines)
— la circulation
— les collaborations
— le collectif
— les coopérations
— le destin (socialement humain)
— les dévouements
— la distance entre soi et les autres
— les envols
— les espérances
— les éveils
— les excitations
— l'excentricité
— les extériorisations
— les forces nerveuses
— les idées avancées
— les idéaux
— les illusions
— l'impossible
— les inattendus
— l'indépendance
— les innovations
— les intermédiaires
— les inventions
— les liaisons
— les libérations
— les mouvements
— la non-contrainte
— la nouveauté
— les « ondes »
— l'originalité
— le « prêt à »
— la radio-activité
— les réformes
— les relations
— les révoltes
— les révolutions
— le rythme
— la sève
— le social
— lc souffle
— les syndicats
— les traits d'union
— les transmissions de fluide
— les unions mystiques, sociales
— les vibrations

Maison douze

La maison douze pourrait être appelée « le pavillon secret, le boudoir, le confessionnal, le cabinet de psychologue, le commissariat de police, la maison de correction,... » puisqu'elle s'occupe de tout ce qui peut être secret, de tout ce qui peut être crise et souffrance.

— l'attente de...
— les besoins de comprendre
— les besoins d'essor cosmique
— les calomnies
— « ce qui échappe »
— la délicatesse
— les difficultés
— les dissimulations
— l'eau matrice
— les épreuves
— les ennemis
— les espérances
— l'éternel
— les évasions
— les forces souterraines
— les imaginations
— l'immobilisme
— les indécisions
— l'indéfinissable
— l'inquiétude
— les limitations
— la médecine
— la méditation
— l'occultisme
— la paix intérieure
— la perfection
— la plasticité
— le profond
— les promesses de résurrections
— la psychologie
— les punitions
— la réceptivité
— les recherches de naître
— les retards
— le secret
— la sensibilité
— la solitude
— la survie
— le vague
— la vie en puissance

La fréquentation des maisons : les planètes dans les maisons

Le signe de croix étant dessiné grâce à la découverte du signe ascendant (rappelons que la maison un s'installe dans le signe où se trouve le point ascendant), et les planètes étant disposées dans les signes avec l'aide des tables de position des planètes, le ciel de naissance d'un Balance, né à telle date et telle heure, peut être « visualisé » : on y voit les fréquentations des maisons et les relations que les planètes peuvent entretenir, soit : les aspects.

Le rapprochement des messages des planètes avec les définitions des maisons renseignent sur les centres d'intérêts privilégiés de l'existence du Balance en question.

En ayant en mémoire les mots-clés des caractéristiques Balance, découvrons les fréquentations des planètes dans les maisons d'un ciel de naissance, en insistant sur les rencontres pouvant se réaliser dans les maisons un, quatre, sept, dix, qui sont les lieux de rendez-vous privilégiés d'un thème.

Le tour de la Table Ronde d'un ciel de naissance intéresse les planètes qui possèdent des influences essentielles, soit le Soleil, la Lune, Mercure, Vénus, Mars, Jupiter et Saturne.

Les effets de chaque planète se combinent et interfèrent pour composer un portrait typé, et l'art de l'Astrologue est de savoir choisir les mots qui désignent les traits de caractère que la planète propose et de les assembler, comme un puzzle vivant, pour composer un portrait.

Le Soleil dans les maisons d'un ciel de naissance

- **Le Soleil dans la maison un**

Mise en lumière, valorisation et surchauffe de l'ensemble des manières d'être typiquement Balance : le Soleil et le Moi.

Les qualités et les défauts de la rose des vents Balance seront amplifiés : davantage d'adresse et d'ingéniosité, encore plus de savoir-faire dans les contacts ; un rayonnement certain et des chances de résultats ensoleillés.

Tendance à trop se prendre au sérieux et à amplifier ses ambitions jusqu'à l'excès.

Le Moi peut devenir haïssable par des surplus d'égoïsme, d'orgueil et d'intransigeance.

Les possibilités de créations et de réalisations seront assorties de passion et d'ardeur, avec un risque d'impatience et d'embrasement mal contrôlés.

• **Le Soleil dans la maison deux**
Succès financiers mais prodigalité ; réussite dans les affaires mais dépenses excessives.

• **Le Soleil dans la maison trois**
Dons artistiques, dons littéraires ; rayonnement dans la vie « mondaine » ; invitations et voyages plaisants et riches de nouveautés.

• **Le Soleil dans la maison quatre**
Le noyau familial est mis en évidence notamment en ce qui concerne les influences « masculines ». Ce mot doit être compris dans le sens symbolique de tout ce qui touche aux qualités et défauts de l'élément « homme ».

Le Balance aura des ressemblances ou subira les influences des composantes « mâles » du clan familial : le père notamment. Qui dit influence dit mainmise, aussi il est à craindre que le « Balance » soit par trop prisonnier des emprises familiales jusqu'au moment où il saura s'en libérer.

• **Le Soleil dans la maison cinq**
Euphorisation des tendances ; les loisirs passent avant tout ; les créations et les récréations sont valorisées ; optimisme et joie avec les enfants.

• **Le Soleil dans la maison six**
Succès dans les activités par une augmentation des capacités de courage, de méthode et de maîtrise de soi.

Le travail passe avant les plaisirs personnels.

Un peu de mélancolie par des excès de sérieux. Tout ce qui

touche à la santé est éclairé, d'où le conseil de surveiller les moindres maux physiques.

• Le Soleil dans la maison sept

L'amour au service des Balances. Possibilité d'élévation par union, mariage, « association sentimentale ». Au nom de l'amour et de la justice, le Balance sera heureux. Le Soleil fait l'amour en toutes circonstances lorsqu'il s'installe dans cette maison privilégiée et le Balance gagnera un équilibre et un bien-être au sein d'une association mi-sentimentale, mi-professionnelle ; les deux plans étant liés pour le Balance qui vit ses sentiments dans des échanges et aime s'activer dans des ambiances affectives.

• Le Soleil dans la maison huit

Des nuages cachent le Soleil, d'où des risques de crise, de « froid au cœur », de tristesse. Par contre, courage extra-développé pour vaincre les difficultés.

Aptitudes pour les sciences « noires » : occultisme, par exemple.

• Le Soleil dans la maison neuf

Des voyages ensoleillés, des séjours sous d'autres cieux, des excursions vers d'autres systèmes solaires ; des aptitudes intellectuelles « hors de l'ordinaire », pouvant déboucher sur des idéaux, des vocations « profondes » car très aériennes.

• Le Soleil dans la maison dix

Le Soleil au service des réussites en tout genre.

Le Balance grimpe l'échelle des valeurs ; les cours de la bourse Balance sont en hausse ; les projets et les réalisations atteignent un zénith.

Le Soleil fréquentant la maison dix lui donne des fastes dignes du château de Versailles.

Possibilité de devenir chef d'Etat, adjudant-chef, chef tout court... Selon le cadre de vie et les ambitions de chacun, des succès sont annoncés.

• Le Soleil dans la maison onze

Les relations professionnelles, amicales seront favorisées ;

aide et protection en tout genre. Des fonctions à responsabilités sont à prévoir mais avec une nuance collective : syndicat, bureau, chambre...

• **Le Soleil dans la maison douze**
Trop de sensibilité, trop de solitude ; des conflits seront à craindre par manque de sens concret, par excès de sentimentalité.

Le Soleil vit en antithèse dans cette maison trop close, d'où des frissons et des humeurs glaciales ; cependant du froid naît le chaud... d'où une affirmation d'espérance certaine, mais après un certain temps de givre.

La Lune dans les maisons

• **La Lune dans la maison un**
« Féminisation » des traits de caractère Balance, soit accroissement de la sensibilité et de la part d'imagination ; développement de la tendance à l'instabilité et à la passivité.

Les qualités et les défauts de la rose des vents Balance sont rendus plus sensibles aux moindres vibrations et aux plus petites émotions. Le Balance préférera, comme dit le poète, « le soir au matin et la nuit au jour ». Les dispositions au charme, à l'élégance et à l'esthétique seront amplifiées ; le savoir-faire lors des contacts sera nuancé de souplesse et d'affectivité.

Les capacités « actives » seront plus soumises et peut-être moins efficaces. Le comportement risque d'être trop lunaire ou lunatique et des agacements sont à craindre de la part de l'entourage ; la Lune a l'art de rendre instable le fixe et de faire tourner l'immobile. Ce programme ne peut que plaire au Balance toujours avide de mobilité.

• **La Lune dans la maison deux**
Fluctuations financières ; gains et pertes se suivant ; rôle important des intuitions et des coups de chance ; trop forte sensibilité aux problèmes matériels ; épicurisme « cérébralisé ».

• La Lune dans la maison trois

Imagination amplifiée, nombreuses idées mais en pagaille, dons inventifs en sensibilité à fleur de plume et de mots ; créations littéraires ; voyages rapides sur des coups de cœur ; sensibilité souffrante.

• La Lune dans la maison quatre

Le noyau familial est mis en évidence en ce qui concerne les composantes « féminines ». Ce mot doit être compris dans un sens symbolique de tout ce qui touche aux qualités ou aux défauts de l'élément « femme ».

C'est ainsi que le Balance aura des ressemblances ou recevra des influences « féminines » du clan familial : la mère par exemple. Les conditions de vie au sein de la famille ou du couple seront assouplies, auréolées d'une sensibilité douce et compréhensive. La Lune invite le Balance à se trouver bien dans son ambiance de famille, sous son toit symbolique de protection et de bien-être. La Lune a une influence bénéfique sur le cocon, l'œuf familial, mais en même temps convie au farniente et au rêve.

• La Lune dans la maison cinq

La Lune se fait flirteuse ; dangers de frivolités, de se laisser prendre par les jeux de l'amour et du hasard.

Inconsistance en amour, mais que de charme... Mariage curieux dans le genre « berger épousant une princesse »... et ils auront beaucoup d'enfants !

• La Lune dans la maison six

Une sensibilité développée dans l'exercice des activités n'est pas toujours efficace d'où un côté « petite semaine », petits profits, petits travaux...

• La Lune dans la maison sept

La Lune dans la corbeille de mariage du Balance est l'annonce de tendresse, de compréhension et surtout d'entente complice faite de sensibilité et de tolérance, au sein de tout ce qui peut être couple, union, association sentimentale.

Le danger, lorsqu'il s'agit d'un Balance homme, est de déviriliser quelque peu les tendances masculines. La Lune romantique a toujours tendance à poétiser les instants qui passent, or la poésie peut parfois faire dériver l'esprit de décision que l'on souhaite trouver chez un être responsable.

• La Lune dans la maison huit

Les instincts esclaves de la sensibilité lunaire et la sensibilité, griffe féminine par excellence, sous la galère des pulsions instinctives... Des conflits à prévoir entre mourir ou vivre d'amour !

• La Lune dans la maison neuf

Des voyages dans un fauteuil ; la Lune à portée de la main qui invite aux voyages, aux excursions dans l'imaginaire ; des dons pour tout ce qui est « loin, ailleurs, lunaire,... » d'où des aptitudes pour les sciences de l'âme.

• La Lune dans la maison dix

Des réussites extraordinaires sont prévisibles à coup d'intuitions et de bonnes fortunes. La sensibilité au service des ambitions. Beaucoup de charme et de savoir-faire, un côté « féminin » chez les hommes ce qui peut être une arme redoutable de séduction.

Les composantes « féminines » de l'entourage auront une importance capitale — l'épouse pour un homme, ou la mère ou une amie pour une femme par exemple.

La réussite semble venir par les femmes, se diriger vers les femmes, pour le profit des femmes... Ce seront les inlassables influences féminines qui l'emporteront ; la femme, symbole de compréhension et de douce philosophie au service des ambitions.

• La Lune dans la maison onze

Beaucoup d'amis, de relations en tous genres ; la Lune vagabonde, complice, un peu capricieuse au service de l'amitié.

• La Lune dans la maison douze

Développement de la sensibilité, d'où des qualités originales de création ; intuition très développée pouvant donner une double-vue.

Un style de vie plus solitaire et silencieux que mondain : la Lune aime les ambiances feutrées où les sentiments vibrent à l'unisson.

Vénus dans les maisons

• Vénus dans la maison un

Influence de l'affectivité sur les qualités et les défauts de la rose des vents Balance ; les inclinations et les tendances se trouveront enrobées de tendresse, d'affection et de sympathie. Le rythme de vie sera harmonieux, à base d'entente et d'équilibre. Un zeste d'optimisme, de la tolérance et de la compréhension rendront les contacts agréables et heureux.

Attention aux excès de séduction et d'aventures amoureuses.

Vénus dans la première maison, c'est l'invitation aux romans de cœur et d'épée, aux voyages dans la carte du tendre, c'est l'indice d'une vie toute de vénusté.

Possibilité de mariage hâtif, précoce, mal réfléchi mais passionné d'un amour flambant neuf.

• Vénus dans la maison deux

L'amour au service de l'argent ; une société, pas nécessairement anonyme, entre les sentiments et les finances. Réussites en passant par le cœur. L'âge d'or pour le Balance.

• Vénus dans la maison trois

Amour des arts, de la musique, des livres... ; amour des voyages, de tout ce qui bouge, qui est beau, gai, amical...

Excellente disposition pour réussir sa vie relationnelle.

L'amour et l'esprit donnés aux Balances afin qu'ils soient affectueusement créatifs.

• Vénus dans la maison quatre

Un confort amoureux est à envisager, pour tout ce qui touche « la maison », le toit, le clan familial. L'esprit sera libéré de contraintes domestiques et financières ; la vie de famille sera toute nimbée de compréhension, de tolérance.

Les ambiances seront chaleureuses, affectueuses. L'entente entre les membres de la famille sera certaine. Un côté « sainte famille ». Vénus propose un art d'aimer en s'installant dans cette maison quatre.

• Vénus dans la maison cinq

L'amour au service des loisirs ; excellente entente entre les membres des ambiances mondaines. Des aptitudes artistiques, esthétiques très influencées par des sentiments vénusiens : peu d'angles, mais des courbes en caresses.

• Vénus dans la maison six

Les sentiments affectifs seront déterminants dans le choix des activités et dans l'exercice des professions.

Le travail dans l'amour et l'amour du travail. Le service militaire de Vénus !

• Vénus dans la maison sept

Les jeux du hasard veulent que Vénus, planète affectueuse par excellence, soit dans le temple de l'amour, en rendant visite à la maison sept. Il y a plus qu'une coïncidence dans cette combinaison annonciatrice de mariages heureux, de réussites certaines des associations et collaborations à l'instant où une communion des idées et des sentiments existe.

Le Balance est assuré de résultats féeriques pour tout ce qu'il a « à cœur » ; ses sentiments seront partagés, ses idées et sa délicatesse seront appréciées ; son savoir-faire sera teinté de tendresse ; il sera aimé avec intelligence, avec une dose d'humour et une certaine poésie.

• Vénus dans la maison huit

« Vénus à sa proie attachée »... ; des drames à prévoir par une recherche d'absolu dans les sentiments ; une curieuse association de sentiments passionnés et de désespoir amoureux. Vénus vit sa dernière bataille dans cette maison. Il est vrai que l'on peut mourir d'amour !

• Vénus dans la maison neuf

Vénus propose des voyages au long cours, des sentiments lointains, de l'exotisme. Vénus-croisière, Vénus-voyages d'affaires, d'amour, voyages tout court...

• Vénus dans la maison dix
L'amour comme levier, arme, atout... Le Balance peut être assuré de résultats transcendants ; l'amour conduit le bal des ambitions. Il s'agit d'une position remarquable quant aux succès des entreprises et des créations. Vénus annonce la prospérité, la fortune, des fruits et des produits, le tout sur fond d'entente cordiale, de compréhension et pourquoi pas de passion amoureuse pouvant naître au sein des ambiances d'affaires, des rencontres professionnelles.

Vénus permet au Balance de « faire son chemin », d'avancer et de gagner grâce à une amplification de ses qualités de charme et de savoir-séduire.

• Vénus dans la maison onze
Tout nagera dans la sympathie, l'amitié et la tendresse amoureuse en ce qui concerne la vie extérieure, les contacts, « l'épiderme » du cœur et de l'esprit.

• Vénus dans la maison douze
Vénus se sentira toute fragile, tout émue ; elle vibrera et sera sensible aux moindres sursauts de l'imagination ; possibilités de dons psychiques, par excès de sensibilité. Attention aux crises affectives par une exagération des « battements de cœur ».

Mercure dans les maisons

• Mercure dans la maison un
Valorisation des aptitudes intellectuelles, dons de création, originalité d'esprit, énergie « cérébrale ».

Les qualités et défauts de la rose des vents Balance seront amplifiés, dans le domaine de l'intelligence ; d'où des dispositions pour tous les travaux littéraires, des aptitudes d'éloquence, de l'ingéniosité et de l'imagination.

Peut-être faudra-t-il craindre un « complexe d'intelligence » rendant intolérant, trop caustique et cynique. L'esprit se fait corrosif sous prétexte qu'il pense bien, qu'il raisonne avec justesse et que les autres sont moins intelligents.

• Mercure dans la maison deux

Les capacités intellectuelles seront très bien développées, mais seront au service de l'argent ; le sens des affaires se doublera du sens de la possession. Le Balance « palpera » avec avidité, jouissance et intelligence tout ce qui peut se toucher, se caresser, se manger des yeux, des lèvres et des mains.

• Mercure dans la maison trois

Dispositions littéraires et artistiques ; possibilités de voyages originaux, instructifs ; relations mondaines agréables car à la fois affectives et intelligentes.

• Mercure dans la maison quatre

Le noyau familial sera « intelligent ». Les ambiances seront agréables, accueillantes et surtout intéressantes par un apport de compréhension et de sensibilité. Les membres de la famille, dans un sens large de toutes personnes gravitant dans la sphère familiale, bénéficieront d'esprit de finesse, d'intuition et tact.

Des créations de l'esprit augmenteront les possibilités d'entente au sein du clan-famille.

• Mercure dans la maison cinq

L'intelligence au service des loisirs, des jeux et des divertissements. Des moments très agréables sont à prévoir. Une vie à la fois récréative et spirituelle.

• Mercure dans la maison six

L'intelligence au service des activités professionnelles ; le travail sera intelligemment mené.

L'adresse et la rue au bout des doigts, d'où des aptitudes en bricolage.

• Mercure dans la maison sept

L'intelligence amoureuse ou l'amour intelligent !

Les rapports sentimentaux seront idéalisés, tendrement

romantisés mais resteront parfaitement lucides. Les échanges intellectuels iront de pair avec des échanges de sentiments. Des possibilités de collaborations et d'associations existent puisqu'une alliance peut se conclure entre les aspirations affectives et les dispositions intellectuelles.

Les corps-à-corps seront intelligemment menés, avec délicatesse et imagination.

Le cœur aura des raisons que la raison acceptera.

• Mercure dans la maison huit

L'intelligence au service des passions secrètes.

Les pulsions profondes, sexuelles notamment, seront spiritualisées. Cela peut déboucher sur des aptitudes pour les sciences profondes mais aussi le goût des spéculations, solitaires et silencieuses : commerciales, intellectuelles, psychologiques...

Attention aux drames possibles dans des procès tortueux.

• Mercure dans la maison neuf

Une intelligence au service d'une agence de voyages : de l'imagination, du rêve.

Quelques inquiétudes par excès d'enthousiasme.

Des tendances sociales, philosophiques, une recherche d'absolu.

• Mercure dans la maison dix

Des réussites dans tous les domaines de la vie sont à prévoir par un heureux dosage d'activité efficace et d'intelligence fine et rusée. Des difficultés à rester enfermé dans des atmosphères « volant bas ».

L'intelligence au service des ambitions, des souhaits d'indépendance et de liberté.

Un judicieux mélange de souplesse, de savoir-faire, de sourire engageant et d'entregent permettra d'atteindre des résultats spectaculaires.

• Mercure dans la maison onze

L'intelligence au service de l'amitié ; des rencontres, des accords, des conversations spirituelles, affectueusement intelligentes.

• Mercure dans la maison douze
Goût pour des recherches « intelligentes » dans les profondeurs de l'âme ; occultisme, psychologie, travaux policiers...
Une intelligence « détective ».

Mars dans les maisons

• Mars dans la maison un
Les composantes martiennes de la personnalité : combativité, agressivité, courage, mais aussi pulsions instinctives, impulsivité,... sont valorisées. Le Balance sera plus accrocheur, plus offensif mais aussi plus violent. Les dons de plume se feront plus acerbes et l'intelligence, plus aiguisée, deviendra piquante, ironique voire blessante.

La devise sera l'action pour l'action ; les forces seront « cérébralisées », mais ce n'est pas parce que les agressions se feront « sur le papier » qu'elles ne seront pas dangereuses.

Un côté déclaration de guerre mais en paroles, des comportements de « tigre de papier ».

• Mars dans la maison deux
L'argent gagné à la pointe de l'épée ; un comportement ferrailleur, téméraire, excessif dans les spéculations ; beaucoup ou pas d'argent, des crises et des fortunes financières.

• Mars dans la maison trois
Les relations risquent d'être empoisonnées par de l'agressivité, des ironies gratuites. Accidents en tous genres par excès de violence et d'impulsivité.

La plume sera trempée dans du vinaigre et du vitriol... Risques de brûlures.

• Mars dans la maison quatre
Il se passera toujours quelque chose sous le « toit » du Balance.

Des sentiments puissants mais des dialogues agressifs, des possibilités de réalisations dynamiques et solides mais non sans quelques heurts.

Mars n'est pas facile à vivre, sa fougue fatigue, son

déterminisme lasse l'entourage immédiat. Tout ce qui peut être appelé « la famille » ne supportera pas toujours les offenses qui se voudront généreuses et les impatiences qui se voudront célérité d'un Mars trop bien armé.

• **Mars dans la maison cinq**

Le domaine des loisirs, des « affaires mondaines » sera électrisé. Trop d'impulsivité, trop d'agressivité nuiront aux bons rapports. Crises et accidents à prévoir par excès de « trop ».

• **Mars dans la maison six**

Mars donnera du courage, une énergie sans bornes pour tout ce qui touche au domaine du travail ; mais l'agressivité n'est pas toujours favorable aux bons rapports à l'occasion d'un contrat de travail ; d'où des problèmes et des crises possibles.

• **Mars dans la maison sept**

Mars, dieu de la guerre, ne comprend pas grand-chose à l'amour ; les joutes amoureuses et les guerres sentimentales seront brutales et agressives ; le succès en amour étant « dans la fuite », il est prévu des ruptures, des divorces et des « morts lentes ».

Mars hâte trop le Balance vers l'amour, d'où des possibilités de cassure et d'usure.

L'amour oublie l'amour quand Mars est mal aimé dans cette maison sept, celle des associations, des ententes et des accords, aussi il est prudent d'être sur ses gardes avec les devoirs de fidélité, les siens et ceux de l'autre... « Je t'aime avec un gourdin et à l'ombre de mon épée... »

• **Mars dans la maison huit**

Mars préfère la guerre à la paix et les épines aux fleurs, d'où des risques d'accidents.

Mars est trop violent, trop agressif, y compris avec ses propositions de concorde et d'entente cordiale ; surchauffe des instincts et de tout ce qui touche aux sensations.

• **Mars dans la maison neuf**

Un côté aventureux, religieux, révolutionnaire... Mars

permet de gagner des galons de héros. Mars au service des grandes causes, mais avec une idée de « péché mortel » à se faire pardonner.

- **Mars dans la maison dix**

Les réussites seront conquises par des réussites sur soi-même.

Mars donnera les armes et la puissance pour atteindre des résultats exceptionnels. Mars sera peut-être trop agressif et accentuera les ambitions du Balance, d'où des dangers de comportements sans remords mais non sans courage, des attitudes glaciales à force d'énergie canalisée.

Comme les ambitions ne peuvent être guéries que par de nouvelles ambitions, il semble que les créations et les entreprises se succéderont comme en un tournoi de gladiateurs.

- **Mars dans la maison onze**

Mars gèlera les amitiés, les relations par trop d'impulsivité et d'intolérance. Entre amis, avec un Balance conseillé par un Mars irascible, c'est vivre en compagnie d'un tigre, même s'il est en papier mâché.

- **Mars dans la maison douze**

La sensibilité sera exacerbée par un Mars trop violent, d'où des risques de ruptures avec soi-même et avec les autres.

Des pièges, des ruses et des embuscades par excès d'émotivité ; Mars agresse, viole, égratigne les « épidermes » trop impressionnables.

Jupiter dans les maisons

- **Jupiter dans la maison un**

La planète-orchestre de l'Astrologie fait preuve d'enthousiasme et de fougue en fréquentant la maison un. Le Balance se sentira encore plus indépendant et plus habile en toute chose. Des espoirs de réussite sont à envisager. Du charme, de la présence, peut-être un peu trop de témérité, mais surtout des aptitudes de « meneur d'hommes ». Jupiter sera généreux et sociable avec le Balance, qui le charmera par ses caprices et ses fantaisies.

- **Jupiter dans la maison deux**

Prospérité financière ; gains fructueux à prévoir. De la truculence et de la volupté dans le comportement. Des dépenses exagérées à surveiller.

- **Jupiter dans la maison trois**

De l'optimisme dans les réalisations. Beaucoup de contacts, de rencontres, de mondanités. Des flirts élégants et passagers.

- **Jupiter dans la maison quatre**

Tout ce qui touche au domaine de « la famille » sera sous la protection jupitérienne. Jupiter apporte de la générosité, de la compréhension, mais aussi un côté optimiste et chaleureux. Une idée de bonne fortune est sous-jacente : héritage, cadeaux...

Le foyer avec ses habitants, parents, enfants,... bénéficiera d'ambiances chaleureuses.

- **Jupiter dans la maison cinq**

Jupiter gagne des lettres de noblesse dans cette maison cinq. De la superbe et de la prestance. Des ambiances exceptionnelles sont à prévoir aussi bien dans le domaine professionnel que privé.

- **Jupiter dans la maison six**

Jupiter s'ennuiera un peu dans cette maison de travail. Mais des résultats et de la fidélité à toute épreuve de la part des amis, parents et collaborateurs, sont à prévoir.

- **Jupiter dans la maison sept**

Jupiter est très bienfaisant dans cette maison. Il y apporte de l'amour, de la compréhension, de l'optimisme. Tout ce qui peut être association aussi bien amoureuse que professionnelle sera placé sous la protection efficace d'un Jupiter attentif et attentionné.

• **Jupiter dans la maison huit**
Jupiter au service de la passion ! Une vie riche, puissante, sans crainte de problèmes.

• **Jupiter dans la maison neuf**
Le caractère sera ennobli ; des vocations possibles, des dons pour les sciences humaines.

• **Jupiter dans la maison dix**
Jupiter apporte des armes, des atouts remarquables pour réussir les entreprises. Le règne absolu, mais dans une ambiance plus détendue qu'autoritaire. L'argent et les sentiments bénéficieront de protections importantes. C'est le moment des grandes décisions, des hautes situations et des postes élevés.

• **Jupiter dans la maison onze**
Des voyages, des relations, des ambiances assez exceptionnelles. Jupiter sera prodigue de ses avantages.

• **Jupiter dans la maison douze**
Les crises possibles seront évitées. Dons pour les sciences médicales. Une générosité accentuée vis-à-vis de toutes les souffrances humaines.

Saturne dans les maisons

• **Saturne dans la maison un**
Saturne, tout en étant pessimiste de nature, sera bénéfique dans cette maison un. Sa réserve, sa prudence et ses qualités de profonde concentration seront très utiles pour le Balance. D'où des prévisions d'excellentes capacités de travail, mais dans le silence et le secret d'une vie intériorisée.

La sensibilité sera exagérée par des excès d'inquiétudes quelque peu métaphysiques.

Une tendance importante à vivre retiré du monde, ce qui ne veut pas dire en ermite. Le Balance a des côtés épicuriens qui peuvent s'harmoniser avec l'esprit chagrin de

Saturne pour créer des ambiances très agréables tout en étant intimes.

- **Saturne dans la maison deux**

Saturne n'aime pas ce qui brille et l'argent n'est pas son souci, d'où du désintérêt mais aussi des chances « aveugles ».

- **Saturne dans la maison trois**

De la réflexion, de la sagesse, de la prudence. De l'inquiétude cependant car Saturne n'est jamais de tout repos avec ses tendances pessimistes.

- **Saturne dans la maison quatre**

Héritage, réalisations foncières possibles. Saturne aime le sérieux de la « famille ».

Quelques crises par excès de pessimisme et quelques chagrins par manque de tolérance. Le Balance aura l'âme solitaire et le cœur silencieux.

La fin de la vie peut être accompagnée de problèmes de santé.

- **Saturne dans la maison cinq**

Une réussite « dans l'ombre ». Attention aux spéculations en tout genre. Saturne n'aime pas « jouer », et fait exprès de perdre !

- **Saturne dans la maison six**

De l'habileté et un sens des affaires développé. De la patience et de la prudence. Tout le « domaine travail » sera protégé.

- **Saturne dans la maison sept**

Les amours seront sérieux plus que plaisants ; de la fidélité plus que de la fantaisie. Saturne donne de la prudence et de l'austère dans les rapports, ce qui ne sera pas toujours acceptable pour le Balance.

Quelques crises sont à envisager, car l'instinct d'indépendance du Balance s'accommodera mal des chaînes imposées par Saturne. Cependant, tout ce qui sera « associations, travaux d'équipe et vie de couple » sera bien protégé.

• Saturne dans la maison huit

Très forte émotivité et impressionnabilité. Des « gains » curieux, du genre héritage d'oncle d'Amérique !

• Saturne dans la maison neuf

Les capacités seront rendues plus sérieuses qu'à l'accoutumée, ainsi que les comportements ; une idée de vocation, de mission à remplir.

• Saturne dans la maison dix

D'excellents résultats sont à prévoir ; les ambitions seront fortifiées et les énergies seront protégées par un Saturne très à l'aise dans sa maison. Des possibilités pour devenir chef d'entreprise, chef de file.

Les ambiances ne seront pas toujours très gaies, mais c'est dans l'austérité saturnienne que se préparent les meilleurs travaux.

• Saturne dans la maison onze

Quelques crises d'inquiétude. Saturne est bougon et n'aime pas se laisser aller à ses émotions, d'où des problèmes de relations et d'amitiés difficiles à satisfaire.

• Saturne dans la maison douze

Une amplification de la vie intérieure ; une tendance à se retirer du monde.

Des dons pour les sciences humaines et une générosité silencieuse.

Les aspects

Les aspects racontent les « relations mondaines » des planètes entre elles ; comme les êtres humains, elles ont des amitiés et des inimitiés.

Imaginons un salon « où l'on cause » ; les invités sont installés et conversent. Ils peuvent être côte à côte, face à face ou encore assis à quelque distance les uns des autres, et se voir « de côté ».

Il en est de même pour les planètes. Certaines sont dans le même signe — elles sont en conjonction —, d'autres se regardent dans le blanc de l'orbite — elles sont en opposition —, d'autres enfin s'observent de biais et leurs regards se croisent en des angles qui peuvent varier de l'aigu — sextile — à l'obtus — trigone —, en passant par l'angle droit — carré.

Les planètes ont chacune des préférences dans leurs fréquentations, mais leurs places ont un effet déterminant sur leurs bonnes ou mauvaises relations ; l'expression « voir les choses ou les gens sous un certain angle » s'applique parfaitement dans les rapports des planètes entre elles.

Se voir face à face — en opposition — n'est pas bénéfique ; apparemment, se voir sans détour, les yeux dans les yeux ne permet pas de bien s'entendre en langage astrologique. « Faire face » est déjà prendre les armes, et être « de front » est indice de déclaration de guerre.

Se voir de biais en carré (sous un angle de 90°) n'est pas bénéfique non plus. « Former un carré », en langage guerrier, est se préparer à se défendre de plusieurs côtés.

Par contre, le sextile — angle de 60° — et le trigone — angle de 120° — sont de bons aspects, et il reste la conjonction, soit le côte-à-côte dans le même signe qui, selon les humeurs des planètes, peut être ou tout bon ou tout mauvais.

Il est intéressant d'apprendre ce que peuvent se dire les planètes entre elles dans le ciel de naissance d'un Balance, notamment avec sa planète-maîtresse Vénus.

Le Soleil

• En conjonction

Vénus ensoleillée, Vénus enluminée, Vénus remplie de toutes les chaudes qualités du Soleil : une merveille de beauté, d'art, d'amour... Quel plaisir pour la Balance ! Des dons pour la musique, la poésie et des prédispositions pour vivre de grands et de beaux sentiments sont à prévoir. Les rapports amicaux, sociaux, affectifs seront amplifiés, rendus faciles et toujours à haute densité d'enthousiasmes généreux et communicatifs.

Mercure

• En conjonction ou en sextile

Les deux planètes ne sont jamais séparées de plus de 76 degrés. La Balance gagnera de cette fréquentation de la gaieté et de la bonne humeur. Les propos seront spirituels, affables, non exempts de quelque flatterie. Les désirs de plaire et d'être aimé trouveront des mots, des adjectifs et des rimes pleins de tendresse. Cet aspect est excellent pour donner des aptitudes de « vendeur » de charme, de représentant et de courtier en tout genre... puisque cette profession consiste bien à « faire sa cour... »

La Lune

• En conjonction, en sextile ou en trigone

Cette rencontre est celle du romantisme, de l'imagination et de la poésie. La tendresse sera de rigueur en toute circonstance. Cet aspect est propice au mariage d'amour et à la fertilité. La Balance se fera gaie, capricieuse, portée aux plaisirs de l'amour, au plaisir du plaisir. Elle se fera « rêveur définitif ».

• En carré ou en opposition

Quelques inquiétudes d'ordre matrimoniaux seront à prévoir par excès de féminité ou par dévirilisation. Cet aspect contrecarre les dispositions naturelles « féminines et masculines » d'où des déphasages psychologiques dans les attitudes.

Saturne

• En sextile ou en trigone

Cet excellent aspect donnera à la Balance à la fois les atouts de fidélité et de profondeur de sentiment de Saturne et aussi les merveilleuses capacités à aimer de Vénus. Cette rencontre semble de celles qui font les conseillers conjugaux, matrimoniaux, les personnes de confiance et de confidence. Comme « conseiller c'est presque aimer », la Balance, animée par les doctes aspects de Saturne, aimera beaucoup, ce qui ravira Vénus, toujours disponible à être généreuse de ses sentiments.

• En conjonction, en carré ou en opposition

La Balance se sentira mal inspirée. Elle transformera en secrets et mystères ses sentiments et se fera soupçonneuse à l'excès. Saturne jouera au mesquin, à l'avare et n'aura de cesse que de faire souffrir la pauvre Vénus qui, pour échapper aux grinçantes étreintes de son partenaire, se fera infidèle, capricieuse, insupportable.

Jupiter

• En conjonction, en sextile ou en trigone

Quelle merveilleuse combinaison ! Une accumulation de bonnes fortunes, de bien-être, de jouissances de tout ordre. Tout sera beau dans le meilleur des mondes pour la Balance : mariage d'amour et pourquoi pas d'intérêt, du prestige à revendre, des honneurs comme s'il en pleuvait... La Balance se sentira un cœur radieux, généreux, peut-être un peu trop enthousiaste ; mais quel plaisir de vivre dans l'entourage d'une Balance ainsi bien aspectée.

• En carré ou en opposition

Les mêmes goûts de bien-être et de jouissance se retrouveront mais ils seront soit amplifiés et ampoulés, donc ridicules, soit difficiles à atteindre. Il y a de la licence, du luxe et de la luxure chez Jupiter ; aussi lorsqu'un aspect difficile s'installe dans une combinaison planétaire, il est certain qu'il dépassera les bornes du raisonnable, voire de l'aimable. Lorsque cette « mauvaise » rencontre se fait avec Vénus, alors la porte est ouverte à toutes les frivolités, les débauches et les orgies planétaires. C'est ainsi que la Balance risque de se montrer licencieuse, libertine et insouciante jusqu'à l'évaporation.

Mars

• En sextile ou en trigone
Vénus deviendra impulsive, démonstrative, passionnée. L'amour pour l'amour, les plaisirs sans compter, quelquefois à tort et à travers. La Balance se drapera dans des fastes, jouera au paon, affûtera ses armes ; elle se sentira douée pour tout et tout lui réussira. Mais toujours l'amour sera la grande affaire de sa vie.

• En carré ou en opposition
Des excès et des surchauffes sont à prévoir. La Balance sera poussée par des passions aveuglantes et étouffantes ; d'où des troubles de jalousie, des déclarations de guerre, des affrontements ; elle aimera vivre ses sentiments jusqu'à la limite du possible. Des problèmes seront possibles car rien ne sera facile et tout sera brûlant, bouillonnant. « Vénus à sa proie attachée... » ; la Balance ainsi aspectée souffrira des amours raciniens.

Uranus

• En sextile ou en trigone
Vénus réinventera l'amour ! Du magnétisme, des goûts artistiques et que de charme ! La Balance vivra des sentiments magiques, quelque chose comme un mariage de conte de fée ! A moins qu'il ne s'agisse de quelque amour platonique, tellement beau à vivre qu'il en devient transparent ; idéal pour une Balance poète, musicienne, artiste.

- **En carré ou en opposition**

Trop de magie noire sera à craindre dans cette combinaison. La Balance se sentira manœuvrée par des inconsciences et des magnétismes qu'elle ne pourra comprendre et supporter. La nouveauté à outrance, des sentiments originaux à l'extrême, des sensations toujours plus pimentées... Le cœur de la Balance vivra des insurrections sentimentales incompatibles avec son goût des justes milieux.

- **En conjonction**

Beaucoup d'originalité qui frisera l'excentricité. Uranus inspirera Vénus à des parties fines, où la poésie et le romantisme auront droit de cité, mais où les sensations en tout genre ne seront pas oubliées.

Neptune

- **En carré ou en opposition**

La Balance aura à surveiller tout ce qui viendra « par hasard » ; les providences seront aveugles et apporteront aussi bien le possible que l'impossible ; des déceptions seront à craindre, dans le domaine des sentiments, des idées, des espérances, des amitiés.

- **En sextile, en trigone ou en conjonction**

Les inspirations poétiques, imaginaires seront amplifiées. La Balance aura une sensibilité tournée vers les sciences occultes, vers la magie des mots, des sentiments, des « choses » visibles et invisibles. Le moment sera aux créations géniales, aux rencontres fortuites mais pleines de charme et d'originalité.

Table des matières

Achevé d'imprimer sur les presses de **Scorpion,**
à Verviers pour le compte des Nouvelles Editions **Marabout.**
D.1981/0099/148
ISBN 2-501-00104-4

marabout service

Psychologie

Le guide Marabout de l'astropsychologie, H. HIRSIG — MS 391
Le dictionnaire de l'**astrologie,** M. CURCIO — MS 388
Connaissez-vous votre signe **astral,** J. de GRAVELAINE — MS 318
Le guide Marabout de la **chiromancie,** MIR BASHIR — MS 374
Comment leur dire, Dr MARCELLI — MS 431
Les **dessins d'enfants** et leur signification, A. OLIVERIO FERRARIS — MS 297
La **dynamique mentale,** C.H. GODEFROY — MS 365
Comment connaître son **enfant,** Dr A. RIDEAU — MS 438
Comprendre les **femmes,** P. DACO — MS 250
Le guide Marabout de la **graphologie,** A.M. COBBAERT — MS 337
Le **langage efficace,** F. RICHAUDEAU — MS 360
Développez vos **pouvoirs invisibles,** Y. BOURDOISEAU — MS 340
Les **prénoms,** un choix pour l'avenir, C. MERCIER & P. DACO — MS 369
Les triomphes de la **psychanalyse,** P. DACO — MS 29
Psychologie de la création, G. & B. VERALDI — MS 230
Les prodigieuses victoires de la **psychologie moderne,** P. DACO — MS 15
Que suis-je ?, S. DURVILLE — MS 362
Répondre aux enfants jusqu'à l'adolescence, C. COTTI — MS 334
L'interprétation des **rêves,** P. DACO — MS 341
Le sommeil et les **rêves,** MONNERET — MS 455
Connaissez-vous par votre **signe astral,** J. de GRAVELAINE — MS 318
Le **sommeil** et les rêves, MONNERET — MS 455
Le dictionnaire des **superstitions et croyances populaires,** P. CANAVAGGIO — MS 339
Les **surdoués,** R. CHAUVIN — MS 350
20 **tests pour se connaître,** M. & F. GAUQUELIN — MS 236
Tests pour mesurer l'intelligence de votre enfant, G. WILSON & D. GRYLLS — MS 314
Les **tests Psi,** R. de AMORELLI — MS 349

Education

Aimer sant tout permettre, F. DODSON MS 432
J'**apprends à lire avant 6 ans,**
GAUQUELIN & MOERMAN MS 437
Bon appétit de 1 jour à 20 ans,
G. MATHIOT & Dr G. VERMEIL MS 304
Comment connaître son enfant, Dr A. RIDEAU MS 438
Comment leur dire, Dr MARCELLI MS 431
Les **dessins d'enfants** et leur signification,
A. OLIVERIO FERRARIS MS 297
Comment connaître son **enfant,** Dr A. RIDEAU MS 438
Comment donner à vos **enfants** une intelligence
supérieure, S. & T. ENGELMANN MS 150
Elever notre **enfant,** Drs J. RATEL, J. RICHARD
& Ph. SAGLIER MS 435
Soigner notre **enfant,** Drs J. RATEL, J. RICHARD
& Ph. SAGLIER MS 434
Vos **enfants et la sexualité,** R. CHARTHAM MS 252
Comment donner à vos enfants une **intelligence**
supérieure, S. & T. ENGELMANN MS 150
Parents efficaces, Dr TH. GORDON MS 436
Le **père et son enfant,** F. DODSON MS 320
Comment vaincre les **peurs enfantines,**
Dr B. WOLMAN MS 392
Les **Prénoms,** un choix pour l'avenir,
C. MERCIER & P. DACO MS 369
Psychologie de la création, G. & B. VERALDI MS 230
Les prodigieuses victoires de la **psychologie moderne,**
P. DACO MS 15
Que feront nos enfants ? S. BRESARD MS 241
Répondre aux enfants jusqu'à l'adolescence, C. COTTI MS 334
Soigner notre enfant, Drs J. RATEL, J. RICHARD
& Ph. SAGLIER MS 434
Les **surdoués,** R. CHAUVIN MS 350
Tests pour mesurer l'intelligence de votre enfant,
G. WILSON & D. GRYLLS MS 314
Tout se joue avant six ans, F. DODSON MS 225